GORWELION

Rhydwen Williams

Hawlfraint © Rhydwen Williams 1984

Cyhoeddwyd gyntaf gan
Christopher Davies (Cyhoeddwyr) Cyf.
Heol Rawlings, Llandybïe
Dyfed SA18 3YD

*Cedwir pob hawl. Ni ellir atgynhyrchu unrhyw
ran o'r cyhoeddiad hwn na'i gadw mewn
cyfundrefn adferadwy na'i drosglwyddo mewn
unrhyw ddull na thrwy unrhyw gyfrwng,
electronig, mecanyddol, ffoto-gopïo, recordio,
nac fel arall, heb ganiatâd ymlaen llaw
gan y cyhoeddwyr
Christopher Davies (Cyhoeddwyr) Cyf*

ISBN 0 7154 0637 X

*Argraffwyd gan
Wasg Salesbury Cyf
Llandybïe, Dyfed*

Dymuna'r cyhoeddwyr gydnabod cymorth Adran Olygyddol
a Chyhoeddusrwydd y Cyngor Llyfrau Cymraeg
a noddir gan Gyngor Celfyddydau Cymru.

WEST GLAMORGAN COUNTY LIBRARY
£2.95
649483
OCTOBER 1984
CLASS NO B WIL
LOCATION 40

Cyflwynedig i'r tri,
brawd a dwy chwaer, EIFION, JEAN a MADGE:
a hefyd i gofio BIL, y brawd mwyn nad yw
gyda ni mwyach.

Cynnwys

RHAN I

RHAN II

Rhagair

Perswâd cyfeillion sy'n bennaf gyfrifol am y gyfrol hon. Detholion sgwrs radio yn y gyfres *Y Llwybrau Gynt*, a gomisiynodd y BBC ac a gynhyrchwyd gan Mrs Lorraine Davies, yw'r rhan gyntaf, ynghyd â detholiad o ysgrifau y gofynnwyd amdanynt gan olygydd *Seren Cymru*, y Parchedig Idwal Wynne Jones, Llandudno. Mae ail ran y gyfrol yn dasg a osodwyd gan gyfaill, yr hwn a gredodd fod stori'r daith arbennig hon a'i phererin yn werth ei hadrodd.

Os llwydda'r gyfrol i daflu golau ar nifer o gymeriadau mawrfrydig, bydd yr ymdrech wedi'i gwobrwyo. Os rhyw gorddi atgofion un person yn unig a ddaw i'r golwg, bydd y darllenydd wedi colli'r pwynt a'r awdur wedi colli'r dydd.

RHYDWEN WILLIAMS

RHAN I

Plentyn y Cwm Diwydiannol

'Rwyf ar fy mhen fy hun! Nid ar fy mhen fy hun ychwaith. Ar goll. O'r eiliad y cefais fy nwy goes dros ymyl y crud, bûm yn achos gofid i rieni a cheraint. Meddan *nhw*! Rhyw afradlonedd ifanc a'm gyrrai'n wirion, os nad i'r wlad bell fel y llanc arall hwnnw, yn ddigon pell o olwg a gafael. Pan nad oedd ond fflamau Pwll y Pentre a'r lampau torcalonnus i ymlid y twllwch ymaith, rhyw grwydro ar lan yr afon, dringo'r tip glo, neu eistedd oriau dan goed Cadwgan yn gwrando'r adar yn mynd i gadw. Meddan *nhw*!

Mae rhai o'r crwydriadau bach hyn yn dal yn glir yn y meddwl. Y syniad fod y byd mor fawr a minnau mor fach. A'r hen deimlad od, ar ôl iddi wawrio arnaf fy mod ar goll, mai creadur digartref oeddwn yn y rhedyn tal a'r glaswellt mawr; a'r sylweddoliad, er cymaint fy mhleser, fod *peth* rhyddid yn iawn,

Pentre, Cwm Rhondda ar doriad gwawr.

Pwll y Pentre.

ond *gormod* yn ddigon i'm gyrru'n wallgo. Nid oedd deunydd mynach ynof. *Dyna* oedd uffern — unigrwydd, arwahander! Gormod ohono, beth bynnag. Ac nid wyf wedi newid dim hyd y dwthwn hwn. Gallaf ddianc am oriau o hyd i fod ar goll yn fy myd fy hun; yna, dychwelyd, brysio'n ôl, yn *chwennych — dyheu — mynnu* cwmni. Oes, mae 'na elfen gref o hunanoldeb tu ôl i hyn. Rhyw duedd i fwynhau a *defnyddio* eraill. Rhoi fy hun i eraill pan yw'n taro'n gyfleus i mi. Ac eto, gwn yn burion na theimlais erioed yn rhy ddiogel yn hyn o fyd heb fod gennyf *rywun* gerllaw. Dibynnais ar hyn mor aml. Gwên. Gair caredig. Cyffyrddiad llaw. Cusan. Do, gofidiais filwaith na fedrwn fod yn fwy annibynnol. Nid yw mân golledion bywyd yn mennu fawr ddim, ond y mae colli wyneb a gerais neu gwmnïaeth a ymhyfrydais ynddi yn glwyf. Mae gormod o unigrwydd yn llethu. Ond dyna fi erioed, rhyw grwydryn neu sipsi o'r crud falle, allan o olwg ar dro, ond byth allan o gyrraedd.

Cantorion y Cwm.

Ac fe all mai dyna pam na fedraf feddwl heddiw am fy mhlentyndod fel rhyw wynfyd heulog ac ysgafn-galon, llawn chwerthin a da-da a difyrrwch.

Na chamddealler! Cefais bob haelioni a serch a gofal. Mwy na'm hangen. Llawer mwy na'm haeddiant. Ond 'roeddwn i'n blentyn mewn cwm diwydiannol, ei sŵn yn ddigamsyniol yn fy nghlustiau a'i sawr yr un mor ddigamsyniol yn fy ffroenau, a'm synhwyrau wedi'u hogi'n gynnar iawn i'w holl ddychrynfeydd a'i ddüwch.

Gofidiau plentyn! *Dyna* beth yw gofid. Gwn yn iawn beth yw bod yn ŵr gofidus ar dro, ond nid yw gofidiau pobl mewn oed i'w cymharu â gofidiau plentyn bach. Mae dyn sydd wedi hen golli'i ddiniweidrwydd yn medru cael rhyw fath o gysur yn y noson dduaf a'r storom fwyaf. Mae ganddo ryw dafarn i feddwi ynddi neu ryw fron i angori arni. Am blentyn bach, nid oes ganddo orwel na golau na diwedd i'w ofid byth.

Ystyriwch. 'Roedd 'nhad yn löwr. Cerddai allan o'r tŷ ben bore neu fin hwyr ar gyfer y sifft. Dillad gwaith ag arogl y dyfnder a'r tamprwydd mor gryf â chamffor arnyn nhw. Sgidie hoelion. Hen gap. Mwffler. Wasgod. Siaced. Wedi bod o flaen y tân am oriau yn crasu. Ac nid oeddwn yn rhy siŵr a gawn ei weld byth mwy. Ni ddwedais hynny wrth neb, ond — mi feddyliais y peth! Onid fi oedd y plentyn hynaf? 'Roedd y lleill i gyd yn y gwely, finnau'n cael aros i lawr, cwmpeini i Mam, bario'r drws drosti, cysgu yn yr ystafell gefn, y pwll cynddeiriog dest tu allan i'r drws yn rhuo, nepell o'r tŷ-bach a gwaelod yr ardd. A dim ond i'r gwynt gyffwrdd â'r cyrtenni! Nefoedd fawr!

Ofn! Ofnau plentyn! 'Roedd ofn pobl fawr arnaf. Ambell ddiacon yn y sedd fawr. Ambell blismon ar y sgwâr. Ambell athro yn yr ysgol. Ambell hen fodryb a alwai i weld sut oedd *e*'n byhafio. Ofn tlodi. Ofn salwch. Ofn twllwch. Ofn y pwll glo. Ofn yr afon. Ofn marw. Bu farw rhai o blant y gymdogaeth adeg ffifar. Teifi drws nesa. Trefor Merriman. Crwt-bach-cael-ffitie-ar-y-Moel. Dychryn pawb. Ac fe gerddais yr holl ffordd i fynwent Treorci gyda phlant yr ysgol, canu bob cam, *Bydd canu yn y nefoedd*, taflu blodau i'r twll mawr, a methu cysgu drwy'r nos wedyn yn meddwl amdanyn nhw yn eu heirch a'r clai yn eu gwasgu nhw i lawr am dragwyddoldeb. Ac yr oedd gen i arswyd y byddai'r blagard Angau yn cydio yn fy nghorn gwddw inne a gwasgu'r bywyd allan ohonof cyn imi gael fy nhrwsus hir cynta. Onid oeddwn wedi gweld lliw marwolaeth ar gnawd plentyn mewn parlwr cyn imi ddod i 'nabod lliwie tynerach bywyd tu hwnt i dipiau du a ffurfafen garpiog fy nghynefin? Cefais y syniad nad oeddwn yn ddewr o gwbl. Nid oedd dim i'w edmygu ynof. Un llwfr oeddwn. Ymdeimlad sydd wedi glynu fel gwe pry copyn falle . . .

Ond 'doedd bywyd ddim yn gaddug a thwllwch a gofid i gyd, meddech. Nac oedd, wrth gwrs. O bell ffordd. I ddechre, 'roedd ein haelwyd yn aelwyd lawen iawn. Digon o dân. Digon o fwyd. Digon o ganu. Digon o chwerthin iach. 'Roedd 'nhad yn ddyn cry. Gweithiwr caled. Coliar abl. Garddwr medrus. 'Roedd ei lun ar wal y gegin yn ei ddillad caci 1914-18 yn ennyn edmygedd mawr. 'Roedd ei bresenoldeb bob amser yn ddiogelwch a llawenydd. Soniai'n aml am Sir y Fflint — ei gynefin! 'Mi gei di ddod hefo fi ryw ddwarnod i weld y Gelli

Pobl y Cwm – adeg streic!

Fach, Lloc, Sarn, Berthen-gam, a Glan'rafon!' Dynes eiddil oedd Mam. Un feinwasg, gwallt du tanbaid, a llygaid mawr gloyw. Soniai hithau am Ddyffryn Nantlle. 'Mi gei di ddod hefo mi ryw ddwarnod i weld Nasareth a Nebo a Thal-y-sarn!'

'Roedd hanner ucha'r cwpwrdd yn y gegin yn llawn o lyfre. Llyfre 'nhaid ystalwm. Gweinidog Nasareth. Gan mai gyda mam y treuliwn y rhan fwya o'n hamser, rhedeg ati hi am bob math o ffafr, fy nhaflu fy hunan i'w chôl pan deimlwn unrhyw ofn neu berygl yn bygwth, 'roedd ei hwyneb *hi* mor bwysig â haul y dydd i mi. Felly ar ôl i 'nhad fynd i'r gwaith a'r lleill i'r gwely, byddai hi'n mynd i'r cwpwrdd mawr am gyfrol. Paned o de a darllen. Fel'na y clywais gynta am Ddaniel Owen. Fel'na y

Plant y Cwm.

Hen gynefin.

Gweinidog Nasareth a'i deulu.

des i 'nabod Mari Lewis a Tomos a Barbara, chwerthin fy ochre wrth glywed am ddireidi Wil Bryan, ac arswydo wrth feddwl am ddifrifoldeb Abel Huws. Do, ymddigrifais yn holl gymeriadau'r dreflan ramantus honno. Fel'na y dysgais farddoniaeth seml fy mhlentyndod. Cyn i Dewyrth Siôn ddod heibio a dechre fy nrilio, 'Dinistr Jerwsalem', 'Iesu o Nasareth', 'Mab y Bwthyn', profiad a oedd yn well gen i na bod allan yn yr awyr agored hyd yn oed yn trin rhaw a chrafu chwyn yng ngardd fy nhad ar ochor Mynydd Pen-twyn.

Capel? Wrth gwrs. Capel Moreia, gwaelod rhiw-yr-ysgol, lle'r oedd Mr Gruffydd yn weinidog, pregethwr mwya'r byd. Pulpud fel llong fawr. Rhyw fath o lwyfan. Yr unig lwyfan y gwyddwn i amdani. Atyniad! 'Roedd gweld Mr Gruffydd yn ei bulpud bob Sul yn cael y fath ddylanwad ar bobl — denu, dyrnu, hudo, hyrddio, suo, siglo, tynnu coes, tynnu dagre — O, 'roedd hyn yn fy nharo fel camp fawr a job werth chweil! Ni chysylltais y peth â chrefydd o gwbl. Hunanfynegiant. Artistri. Arwriaeth. Aeth dringo i bulpud Moreia yn uchelgais. Cyn hir, daeth fy nhro. Adrodd a chanu yn y Cwrdd Chwarter. Nid oedd gronyn o ofn arnaf. Teimlwn yn saffach ym mhulpud Moreia nag yn fy ngwely. Ias newydd. Annisgrifiadwy. Pawb yn gwenu arnaf. F'edmygu. Fy mwynhau. Sylweddoli am y tro cynta y medrwn adrodd a chanu gystal â neb. Sylweddoli am y tro cynta hefyd mor braf oedd bod yn ganolbwynt sylw. Mi fydda i'n chwennych yr un ias o hyd, ond — mae'r blynyddoedd wedi sobri a disgyblu dipyn ar y sgolor bach.

'Roedd pethe eraill yn ein capel ni ar wahân i bregethu, wrth gwrs. Drama, cwrdd gweddi, côr, cwrdd plant, *penny readings*, heb anghofio'r operâu lliwgar, *Il Travatore, Bohemian Girl, Blodwen, Ymgom yr Adar!* 'Under the baton of Mr J. Bryniog Jones, LTSC, one time leading tenor D'Oyly Carte, with full supporting orchestra.' Teimlwn braidd yn flin fy mod yn blentyn o hyd. 'Roeddwn i'n ysu i ganu tenor arwrol fel Stanley Isaac ac ennill calon y Dywysoges Megan Jones —

> 'But one great thing I ask of you
> that you'll remember me . . .'

Awn i gysgu aml i noson, pan ddigwyddai Pwll y Pentre fod yn weddol dawel, yn rhyw ramantus chwennych y greadigaeth feindlos fendigaid honno o Albert Street!

Ysgol? Debyg iawn. Ysgol y Babanod i ddechre. Cofiaf y diwrnod cynta, mynd yn llaw fy mam, yn gliriach na'r diwrnod ola. Cofio torri 'nghalon pan sylweddolais bod Mam wedi troi cefn. Fy ngadael yn y fath dwll. 'Dere dere! Beth yw'r holl dwrw 'ma? Bachan mawr fel ti! Dere, gwboi!'

Daeth pethe'n well. Maes o law. Syrthio mewn cariad. Miss Jones yr athrawes! Yr eneth yn y ffrog las! Dysgais 'nabod y bechgyn wrth eu lleisie a'r merched wrth eu sawr. Dim yn boen. Dim ond rhifo. Llond dwrn o geinioge a syllte allan o'r tun bach. Eu harllwys ar gledr fy llaw. Arian papur! Gneud fy ngore i'w ddeall. Gorfod aros ar ôl gyda'r bachgen na fedrai sgrifennu ond â'i law chwith. Cael ein ceryddu. Disgyblu. Bychanu. Pechod anfaddeuol. Methu gneud syms!

"Un feinwasg, gwallt du tanbaid . . ."

Gweinidog Moreia.

Yna, magu dipyn o ysgwydd, mynd i'r ysgol fawr, Ysgol y Bechgyn. Carchar o le. Desgiau trwsgl. Ffenestri tal tywyll. Daw gwayw rhwng y llygaid o hyd wrth gofio fel y craffwn allan drwy'r ffenestri hyn ar goed mawreddog Cadwgan. Adar rhydd y nen. Minnau yn y clasrwm anghynnes yn rhygnu'r ymennydd ag enwau brenhinoedd, dyddiadau brwydrau, briwsion gramadeg Saesneg. 'Roedd 'na fyd braf dest tu hwnt i frigau'r coed a'r llwybr defaid a'r graig fawr a'r gorwel. Tybed a gawn fy nhraed yn rhydd rhyw ddiwrnod? Tybed?

Un peth arall. Bywyd y pentre! Stryd fawr. Stryd brysur. Stryd bwysig. O Bwll y Pentre i Bont Ystradyfodwg. Heibio i Siop Beynon, Siop Ben John Barbwr, Siop Taid, Siop Danford, Siop Rutley, Siop Daniel, Siop E. H. Davies, Siop Lloyd, Siop Bracchi, Eglwys San Pedr, Siop Harry Sing, Siop Green Gringrosar, Siop Jenkins Cemist, Siloh, Rock Shop, Siop Scadding, Siop Cule, Siop Jiwlar, Siop Ralff y Crydd, Siop Wilshar, Pwll y Pentre!

"Dysgais 'nabod y bechgyn wrth eu lleisie . . ."

Dyna ffiniau'r byd gweledig. Fy milltir sgwâr. Lleoliad drama fach drist ddigri ein bywyd beunyddiol. Y gymdogaeth dda. Oriel fy nghymeriadau.

Ben Six Foot! Rhyw bloryn o ddyn a dra-arglwyddiaethai ar bobl a phlant a chreaduriaid. Rhegi hen ac ieuanc. Heb achos. Fel cawr gewynnog. Nero trowser rhib.

Wil Chwip! Crotyn o ddyn. Wyneb caws. Pen moel sidan. Llygaid llosg. Ennill ceiniog trwy weini ceffyle'r brêc. Cariodd ei chwip ymhell ar ôl i'r tramcar gyrraedd i wneud i ffwrdd â'r ceffyl a'r brêc. Saethai'r chwip fel neidr o gwmpas traed a phenne plant y pentre. Yn enwedig ar ôl iddyn nhw dynnu'i goes. Ac yr oedd tynnu coes Wil Chwip yn un o fwyniannau mawr bywyd. *Ble ma dy geffyl di, Wil? Pwy roddodd sẹnna i geffyl y Co-op? Ma Ben Six Foot yn mynd i roi cot i ti, Wil!*

Dr Glyndwr! Cobyn bach hoffus a thenau a gym'rodd yn ei ben i fod yn geffyl blaen. Un o wŷr Noddfa. Het silc. Cot a chwt. Coler Lloyd George. Dileit cwrdde mawr a chyngherdde. Creadur dof. Ei ddiniweidrwydd mor amlwg â'r frech ar ei wyneb.

Yr oedd eraill dipyn yn drymach eu cerddediad ar y pafin, wrth gwrs. Milwyn — bardd a chyfaill Ben Bowen! Gwernogydd — bardd pum sbectol, *ironmonger*, a chyfaill Ben Bowen! John Morris — bardd talcen slip, ffeiarman, a chyfaill Ben Bowen! Bryniog Jones — cerddor, cyfaill y teulu, hanner duw! Joe Ifans — saer, dyn clomennod, hen filwr! Ianto Hywel — hen forwr, dyn duwiol, mowntin ffeitar! Sand-y-Môr. Shoni Baswr. Ieuan y Siop. Wili Tŷ Top. Mrs Ifans Diod Fain. Mrs Defis y Nyrs — daeth honno ag ardal ohonom i'r byd!

Mae'n ddiwrnod o haf. Gwres yr haul yn codi tawch o'r tomenni glo. Ysgum yn bancws du ar wyneb yr afon. Ffair Scarrott newydd gyrraedd Cae'r Griffin. Fel confoi o eirch Noa wedi bod trwy'r dilyw. Ci Ieuan y Siop yn cael napyn ar sachaid o datws. Breuddwydio am ast Mrs Murphy! Cathod mawr Lleteca yn llyfu'i gilydd. Pwran ar do sinc yr owtws — fel sasiwn o Ferched y De! Clychau San Pedr. Un! Dau! Tri! Gwŷr a gwragedd yn gegau a llygaid i gyd ar y strydoedd. Segurdod hafaidd. Olwynion a gwagenni'r seidin mor fud â'r cerrig ym Mynwent Treorci. Miwsig unsain yn yr awyr. Tonnau tinsel. Nodau crib a phapur. Aflafar. Gasŵcau. Afreal. Lledrithiol.

Band o'r Maerdy!
Pwy yffarn ma honna'n meddwl yw hi?
Middilia! Dinon miwn ôd yn gwishgo ishta blacs!
Biti na fidden nhw'n canu rhwpath ots i hyn!
Canu! Bachan, chlywws rhain ddim emyn teidi yn 'u byw!
Mi gana'r blyti gwdihŵs yn well na hyn!

A'r carnifal a'r bandiau'n mynd drwy'r strydoedd — dillad clown, sipsiwn, Sbaenwyr, morwyr, carn-ladron, milwyr, canibaliaid! Breichie'n chwifio. Drymie'n taro. Gasŵcau'n llifio. Zzzzzz — zzzzzz — zzzzzz! A Huw North yn troi at Wil Jos Llangefni: 'Clyw! No bananas, wir! Chlywi di ddim rhyfyg fel'na yn Sir Fôn!'

Mae'r haf yn marw. Segurdod wedi troi'n arogl blodau marw. Olwynion gwagenni'r seidin heb symud o'r fan. Mwy na'r meirwon. Dynion y Moel yn newid gasŵca am fandrel. Martsio martsio martsio. Bygythion. Uwch na'r hen guro drwm. Yn erbyn y Llywodraeth. Yn erbyn y plismyn. Y

Bryniog – y cerddor.

plismyn boliog o Loegr dan bont yr afon. Fel rhesi o lygod mawr. Barod am eu gyddfe.

Bwrw'r diawl ar 'i ben, Wil!
Cer sha-thre, y blacard estron!
Tafla'r bratwr i'r afon, Sam!
Bodda'r bycar, Ben!
Blacleg!
Mochyn!
Sgab!

'Roedd deg ar hugain o wŷr ein pentre ni yn y carchar y noson honno. Un yn y Parc Gwyllt. Ergyd ar ei ben. Ddaeth hwnnw fyth sha thre . . .

Pedwar ohonom ar yr aelwyd. Fi oedd yr hyna. Felly teimlwn ddyletswydd i fod yn amddiffynfa iddyn nhw. Ac yr oedd achlysuron a alwai am dipyn o gymwynas o dro i dro. Ar wahân i'r reiots . . .

Yr afon. Oedd, yr oedd yr afon yn dipyn o hunllef weithie. 'Roedd ein tŷ ni yn ymyl yr afon. Ergyd carreg. A phan dorrai'r tywydd a'r glawogydd yn dechre'i thywallt hi, codai'r afon o'i gwely fel hen angenfiles yn dechre taflu'i phwyse, gan wneud yn syth am y tai bychain diniwed o'i chwmpas. Byddai Mam — 'roedd 'nhad dan ddaear — yn ein tywys i fyny'r llofft, cyn sefydlu'n hunain yn stafell wely'r ffrynt. A gweld ein stryd ni yn mynd yn debycach i Gantre'r Gwaelod bob eiliad.

Nid y tywydd a'r glawogydd oedd ein hunig elynion chwaith. Mwy na'r creadur bach a drigai mewn ogof gynt! Mae'n wir nad oedd eirth bellach yn y gymdogaeth. 'Roedd 'hen hogia ryff', chwedl Mam, serch hynny. Dipyn o boen i bawb. Creaduriaid di-wardd, chwys ar eu dillad, llyngyr ar eu hanadl. Chwilio am ryw felltith i'w chyflawni o hyd.

Un digwyddiad sy'n sefyll allan. Canol haf oedd hi. Dim ysgol. Dim gwaith. Dim gan blant da na phlant drwg i'w wneud yn well na chrwydro'r mynydd. Mynydd Cadwgan. Mynydd Pen-twyn. 'Roedd 'na lefel lo ar Gadwgan. Crafai 'nhad a Dewyrth Sion sachaid yn gyson i'n cynnal trwy'r gaea. Doedd y pylle ddim wedi gweithio ers misoedd. Clywais siarad y ddau. Gwyddwn i'r dim sut oedd mynd ati yng ngolau cannwyll. Bûm

Dewyrth Siôn – Bardd Lleteca.

yn dyheu — hanner dyheu falle! — am gael mynd gyda nhw. Dringo'r mynydd. Sefyll. Mentro i'r twll. Cerdded at y glo. Dal y lamp. Rhwygo'r ffâs. Gwrando'r ddaear yn anadlu. Morgrug. Cwningod. Llygod mawr. A'r holl greaduriaid eraill. Yn swatio yn eu tylle. Ni chefais fynd, wrth gwrs.

Ond y diwrnod hwn . . . dringais y llethre! Fy mrawd a minne. Cerdded i gyfeiriad y twll yn y mynydd. Adenydd yn y nen fel pe baent yn ein rhybuddio i fynd yn ôl. Hen frân yn crawcian fel pe bai'n ein rhegi am fod mor fentrus. Ond pwy sy'n ddigon o gachgi i hidio rhybudd deryn gwyllt a rheg hen frân?

Ysywaeth, 'doeddwn i ddim wedi sefyll munudyn yno cyn i'r anwariaid difanars, difotwm neidio allan o'r rhedyn a'n hamgylchynu. Sylweddolais ar f'union ein bod mewn perygl mawr. Dechreuodd 'mrawd grio. 'Roeddwn inne'n agos . . .

Y peth a'n gwnâi'n wrthrychau sylw bob amser i'r giangstars bach hyn oedd ein bod yn siarad Cymraeg. Testun sbort. Gwendid. Ffwlbri. Ni fedrem gerdded i'r ysgol heb iddyn nhw fwrw sen. Ceisiai ambell un gega'n ddiystyr. Fel pe bai'n byrlymu'r Gymraeg o'i enau. 'Roedd Llanfairpwlloch-och-och-och-och-och yn jôc fawr. Felly, i mi, 'roedd gwawdio'r Gymraeg yn gyfystyr â bychanu popeth a berthynai i mi. Pan ddechreuodd y rhapsgaliwns hyn ddynwared, gwawdio, a rhegi, dechreuodd fy ngwaed inne ferwi. Cyn pen fawr o dro, 'roedd fy nyrnau wedi cau ac yn landio fel cawod o gerrig. Gwaetha'r modd, fel y profodd aml i greadur diniwed wyneb yn wyneb â hwliganiaid, nid oedd un pâr o ddwylo'n ddigonol er bod ewyllys fel y graig tu ôl iddyn nhw. Y peth nesa a wyddwn, ymaflwyd yn fy mrawd a'i gario ymaith i dwllwch y lefel lo. Fe'i clywn ef yn sgrechian ym mhellterau'r twllwch. Mae arswyd yr eiliad yn aros. Fel hunllef. Fel darne srapnel yn y cnawd. Oeddwn, yr oeddwn yn byw ar dir lle yr oedd yr hyn a garwn mewn perygl. Angheuol. Yn wastadol.

Gwawriodd arnaf nad oedd dyn i'w drystio. Gormod, beth bynnag. Trwy drugaredd, nid oedd berw diwydiannol Cwm Rhondda wedi dychryn yr adar ymaith na'r mwg diwydiannol wedi tagu'r creaduriaid i gyd yn eu tylle. 'Roedd y mynydd yn fyw. 'Roedd y goedwig yn gân.

Sarann a dewyrth Siôn.

Drws nesa, 'roedd gan Joe Ifans y Saer dŷ c'lomennod. Ar golofnau. Wrth ochor y sied saer. Syllwn arnyn nhw am orie. Yr adar diniwed. Tu ôl i'r netin. Cawn ryw fath o edrychiad yn y llygaid bach llariaidd hyn. Tristwch. Cydymdeimlad. Yn taro tant. Tant yn y galon. Edrychiad a aeth yn fythgofiadwy pan syrthiodd gwreichion o'r stôf a rhoi'r tŷ c'lomennod ar dan Gwyddwn am gerdd W. H. Davies. Y defaid yn croesi'r môr! Brefu am dir glas! Aeth cri c'lomennod Joe Ifans yn y tân yn waeth sŵn filwaith. Ni chlywais yr arswyd wedyn tan nosau'r blits. Lerpwl. Trueiniaid yn trengi. Bomio'r siopau mawr. Bomio'r tai. Eu hyrddio i dragwyddoldeb. Heb rybudd. Heb obaith. Heb . . .

Ond llwyddais i dynnu un aderyn o'r tân. C'lomen fach ddof. Gochliw. Ofnus. Briw. Fe'i codais o'r gwair. Arogl tân ar ei phlu. Ei chalon yn pwnio yn fy llaw. Fel gwythïen fawr ar dorri. Mi brysurais â hi gartre. Dros y wal. Gwneud tŷ iddi allan o hen gist. Treuliodd weddill ei hoes yn y tŷ hwnnw o waith llaw anfedrus ddigon. A dyna ddechre partneriaeth. Fy mhartneriaeth gynta â chreadur ar wahân i greadur o ddyn.

'Roedd byd newydd wedi agor. Cyfandir hudol. Teyrnas yr anifail hardd a'r aderyn dof. Mwya'n y byd y treiddiwn, mwya'n y byd yr ymddangosai'n dirionach na theyrnas dyn. Ni fedrai'r golomen fod yn ddim arall ond colomen. Mwy na hynny, pan welwn hi ar ei chlwyd, gwyddwn ei bod yn gwbl fodlon. Yn wir, pan gerddwn tua'r afon, awn heibio i gytie moch Wil Rees. Daeth un hen fochyn mawr a minne'n ffrindie calon. Ei lygaid bach coch. Ei ffroene bach smwt. Gorweddai ar ei hyd mewn pwll o laid. Mor fodlon â merch Ffaro ar ei soffa. Rhoddais enw iddo. Dempsey! Y mochyn bonheddig! Meddai synwyrusrwydd a chwrteisi, mi daeraf, y gwelais eu heisie'n druenus fwy nag unwaith mewn cylchoedd mwy eu rhwysg.

Tua'r adeg yr wy'n sôn amdani, 'roedd 'nhad wedi gwneud un peth a gofiaf byth. Ynys hud! Os oeddem yn byw ar waelod rhyw grochan o le, 'roedd digon o awen yn ei ben a chrefft yn ei ddwylo i ddringo Mynydd Pen-twyn am y tir glasa. Torrodd dywarchen ar ôl tywarchen. Rhoi un ar ben y llall ar ei ferfa. Eu cludo i lawr i'r clwt o dir rhwbel tu ôl i'r tŷ. Darn wrth ddarn.

Nes gwneud y lawnt ryfedda. Borderi pert. Cylch. Diemwnt. Croes. A Mam wrthi ar ei ôl â'i rhaw fach. Plannu. Trefnu. Llysie. Blode. Aeth tŷ Siani Goch y golomen fel plas. Codwyd tai bychain eraill. Llyn o ddŵr i'r adar. Crystyn. Torri syched. Gwnes stryd gyfan allan o hen focsys menyn. 'Roedd gan y golomen fwy o gymdogion cyn hir na Mam a Mrs Ifans drws nesa. Adar anafus Pen-twyn. Cwningen. Draenog. Oen bach dall. Aeth pob malwoden ar wal y tŷ-bach mor rhamantus i mi â dringwr ar wyneb y Glyder. Rhedwn adre o'r ysgol i wylio campe'r broga hirgoes. Cuddio dan ganopi o ddeilen riwbob. Glöyn byw athletig ar gorsen yn peri i mi ddal f'anadl. Edmygu'r pry copyn. Camu o gortyn i gortyn yn ei we. Fel dewin mewn syrcas ar ei drapîs. Carreg ddisylw, dim ond ei chodi fodfedd, yn datguddio prysurdeb mwy na Phwll y Pentre bellach. Morgrug. Gweriniaeth a oedd yn batrwm o gyd-fyw a chydweithio.

A'r cwbl sy ar ôl erbyn hyn?

Llygaid!

Y llygaid o gylch fy ngeni sydd wedi hen ddiffodd ond yn fy meddwl i. Y llygaid yn y gwrychoedd ar lan yr afon a rhwng dail y coed pan oeddwn i'n grwt bach ar goll ar Gadwgan. Y llygaid blaenor. Y llygaid plismon. Y llygaid athro. Y llygaid hen fodryb fusneslyd. Y llygaid ysgol gneud syms. Y llygaid rho-imi-gusan-dan-y-ddesg. Y llygaid Sabothol ym Moreia pan oedd y gweinidog yn ei hwylie mawr. Y llygaid gwallgo yn yr afon. Y llygaid angladd. Y llygaid carnifal. Y llygaid newynog. Y llygaid nwydus. Y llygaid mewn arch. Y llygaid deryn-mewn-nyth. Y llygaid yn y tân. Y llygaid cath-ar-y-ffendar. Y llygaid broga-yn-yr-ardd. Y llygaid malwoden-ar-y-wal.

Llygaid llygaid llygaid!

Na, wnân nhw fyth ddiffodd. Nes diffodd o'r ddau lygad hyn, mae'n siŵr.

Gorwelion

Dyn yw'r unig greadur dan y sêr nad yw ei stad naturiol yn rhoi boddhad llwyr iddo — dyna un o'r gwersi mawr cyntaf imi ei synhwyro! 'Roedd y golomen yn fodlon ar ei thŷ a'r wennol ar ei nyth a'r mochyn hoffus ddioglyd hwnnw ar lan yr afon ar ei gwt. Nid felly dyn. Rhywle draw yn ei benglog, rhwng ei glustiau a'i drwyn a'i lygaid, 'roedd 'na orwel. 'Doedd neb yn ei synnwyr yng nghwm adfydus fy mhlentyndod nad oedd yn ymwybodol ohoni, heb syniad rhy glir ohoni chwaith falle, ond yn gwybod yn iawn ei bod hi yno.

Gorwel wleidyddol oedd i obeithion rhai. Bob hyn a hyn, deuai gŵr cnotiog a chadarn o dŷ i dŷ, ysgwyd llaw yn wresog, gwenu ar bob plentyn, gan ddiolch yn fawr a chodi llaw yn fonheddig wrth fynd ymaith. 'Pwy 'di hwnna?' gofynnwn, y funud yr oedd y dieithryn wedi mynd o'r golwg. Sibrydai Mam yr enw, bron â'r un dwyster ag y soniai am y gweinidog: 'Mr Wil John!' Cefais wybod ganddi mai Mr Wil John oedd y gŵr pwysig a deithiai i Lundain bob wythnos i ddadlau achos Cwm Rhondda yn y Tŷ Cyffredin. Pam ar y ddaear yr oedd eisiau dadlau achos Cwm Rhondda yn Llundain? Dewyrth Siôn a roes yr ateb: 'Am fod y tacla yn meddwl ma tomen ydi'r cwm 'ma mwyach. Ma'r pylla ar ben! Ba iws ydi poeni am yr hen le? Y peth gora ydi symud pawb i Hayes a Slough a Birmingham. 'Does neb call am fyw mewn diffeithwch!'

Un ar ôl un, dechreuodd yr wynebau ddiflannu o'r gymdogaeth — Alma a Rhosi drws nesa i Lundain i weini, hogyn Green i Uxbridge i'r soldiwrs, Lewis Thomas i Gillingham, merch Lucas i'r Amerig, teulu Haines i Romford, teulu'r Dafisiaid i Hayes, teulu'r Huwsiaid i Hull! Ffarweliodd y gweinidog â theuluoedd cyfan Sul ar ôl Sul. Ffarweliais innau â ffrindiau ysgol wythnos ar ôl wythnos. Deuai rhai yn ôl ar ymweliad ymhen amser, gwrid llwyddiant ar eu bochau, graen llwyddiant ar eu dillad, a sŵn llwyddiant yn nhinc yr arian yn eu pocedi a'r acenion newydd ar eu lleferydd. Gwrandawn yn gegagored a chenfigennus. Cawn yr ymdeimlad nad oeddwn yn byw yn y byd cyfoes, rhaid oedd mudo i Slough neu Hayes neu Ashby-de-la-Zouche ble bynnag ar y ddaear oedd hynny, oherwydd yr oeddem ni'n byw yn sgerbwd y ganrif o'r blaen, talu rhent am gytiau a therasau oes Fictoria, ac yn dioddef amgylchiadau ac anghyfiawnderau'r bedwaredd ganrif ar bymtheg lle'r oedd y meistri yn cael yr elw i gyd a'r werin cyn dloted â llygod. Clywais air newydd mwy arswydus na rheg: *dirwasgiad*. Cerddai'r plant i'r ysgol, nid â llyfr yn eu dwylo, ond cyllell a fforc a phlât enamel ar gyfer gwleddoedd y gegin gawl. Methai ambell un chwarae pêl-droed am fod ei draed yn y golwg drwy'i esgidiau. Gwrthododd fy mhardner, Arthur, fynd i'r iard i chwarae am fod rhwyg yn ei drowser rhwng y coesau a 'phopeth yn y golwg'.

Gorwel grefyddol oedd i obeithion eraill. Wrth gwrs, erbyn fy mod yn chwech oed, yr oeddwn wedi penderfynu nad oedd ond un grefydd ar gael, honno a ffynnai dan do capelau Cymraeg y gymdogaeth, a'r *Primitive Methodist, English Congregational, English Baptist,* a'r *Salvation Army* mor estronol bob mymryn â'r gau-grefyddau ar y Congo y bûm yn casglu ceiniogau ar fy ngherdyn i helpu'r cenhadon i'w dymchwel ac achub y negro a gwneud plant bach 'China a thiroedd Japan' yn wareiddiedig fel ni.

Ystyr 'achub', yn ôl a welwn, oedd troi dynion o fod yn farbariaid a Saeson i fod yn Gymry Cymraeg, aelodau selog o'n capel ni, os oedd modd, byw yn ôl y patrwm fel 'nhad a Mam. Ffordd o fwynhau bywyd ar waethaf ein tlodi oedd crefydd, ac yr oedd teyrnas nefoedd yn estyn o festri Moreia i festri Seilo a Nasareth. Dim modfedd ymhellach.

Dipyn o syndod oedd clywed ambell un di-wardd yn gwadu hyn. Gŵr byr, esgyrnog, cortyn yn clymu'i sbectol wrth ei glustiau, oedd Ianto Nefar — beth bynnag a ddwedai neb wrtho, ei unig ateb oedd, *Nefar!* Wrth gwrs, ni fedrai neb ddangos y fath bendantrwydd yn ein cymdogaeth ni heb dalu'r pris. Hen löwr oedd Ianto, segur ers oesau mwyach, anadl yn dynn, a threuliai'r dydd yn eistedd ar garreg y drws yn darllen. Arhosai amdanaf yn eiddgar i fynd heibio o'r ysgol:

'Der 'ma grwt! Wyt ti'n gwpod beth yw *evolution*?'

Na, wrth gwrs.

'Wel, ishta fan hyn i mi weud wrthat ti!'

Eisteddwn.

''Roedd 'na ddyn o'r enw Darwin, twel, dyn clyfar, ac fe wetws ma rwbis yw'r Beibil 'na wyt ti'n darllen.'

Gwingwn yn awr.

'Chwedl yw Adda ac Efa, celwydd gardd Eden, a mwnci heb gwt yw dyn — be ti'n feddwl o hynny nawr?'

Ystyriais am ennyd cyn ateb, 'Siarad di dros dy hunan, Ianto!'

Cefais fonclust nes yr oedd fy mhen yn canu am oriau.

Nepell, dwy stryd i ffwrdd, yr oedd gŵr a ystyrid yn dipyn o flagard, a heb fod yn llawn llathen. Cerddai hwn o gwmpas y lle wedi'i wisgo fel pregethwr, Beibl dan ei gesail, ac yn gweiddi haleliwia ar unrhyw amrantiad heb rybudd nac achos yn y byd. Dywedid ei fod wedi'i 'achub', yr Ysbryd Glân wedi'i feddiannu, ac yntau wedi llyncu'r Beibl yn grwn, gan sefyll tu allan i dafarn ambell nos Sadwrn yn arllwys adnodau ar ben y meddw a'r sobr, 'Gwae, gwae! Daw'r dydd i ben a chysgodion yr hwyr a wasgarant. Cyfod, ac awn i fyny yn yr hwyr, a distrywiwn y palasau. Felly y dywed Arglwydd y lluoedd, Torrwch y prennau i'r ddaear, hon yw'r ddinas yr ymwelir â hi, yn ei chystudd a'i chlwyfau yn wastadol. Gwybydder hyn, O Jerwsalem, rhag gwneuthur anrhaith ohonot, a thir heb un yn trigo ynddo.' Barn Duw oedd gwacáu ac anrheithio Cwm Rhondda, meddai proffwyd y bentecostaliaeth newydd hon.

Wel, er na ddeallwn y myncwn ar un ochr na'r angylion tanllyd ar y llall, yr oedd pethau rhyfedd ac anhygoel yn mynd trwy fy meddwl. Na, ni fynnwn fod yn inffidel ar balmant fel Ianto, ond ni fynnwn chwaith fy 'achub' fel y proffwyd cegog hwnnw a'i Feibl a'i faner ar y sgwâr. Yn wir, edrychwn ar dro ar y cwm o'm cwmpas, ei dai bach di-liw a'i byllau glo segur a'i fynyddoedd du a'i bobl orthrymedig, a theimlwn nad oedd unrhyw ystyr yn y byd i wleidyddiaeth nac unrhyw obaith yn y byd mewn crefydd.

A oedd i mi orwel yn rhywle tybed?

Symud

Mae gwthio atgofion ar bobl eraill yn waith peryglus iawn. Defnyddiwyd peth o'r deunydd hyn ar gyfer nofel, gan newid enwau ac ystumio cymeriadau a sefyllfaoedd gan mai nofel ac nid hanes a sgrifennwn. Gwaetha'r modd, mae'n anochel i ambell hen gydnabod, wrth olrhain fel ditectif ambell wyneb a sefyllfa mewn nofel, fethu'n deg â derbyn rhyw bwt o ryddiaith ddychmygol seml ond fel darn o'r *Daily Post* neu'r *Western Mail* a gwahaniaethu rhwng hanes a chwedl.

Dywedodd y pregethwr gorchestol hwnnw, Thomas Dafis, Dre-fach, wrthyf unwaith ar ôl gwrando pregeth yr oedd pob un yn y sedd fawr y noson honno yn ei 'nabod fel yr oedd y pregethwr yn traethu, 'Y gamp yw ei dieithrio hi!' Fe all mai dyna'r diffyg wrth sgrifennu nofel, hefyd.

Sut bynnag, wrth fynd ati i loffa dyddiaduron, nid oes gofyn dieithrio o gwbl; y gwir plaen a'r hyn oll a olyga mewn arwyddocâd yn wyneb byd gwahanol a dydd a chenhedlaeth newydd sy'n bwysig. Nid rhyw gyfrwystra celfydd, ond onestrwydd diansoddair — os yn bosibl!

Un o nodweddion y Nadolig bob blwyddyn yw dyddiadur newydd. Daw dyddiadur enwad i'm llaw a threuliaf amser yn astudio'r ystadegau, wrth gwrs; olrhain symudiadau gweinidogion, stori'r eglwysi, a choffa'r brodyr sydd wedi ymadael. Ond caf ddyddiadur arall bob blwyddyn hefyd, dipyn mwy trwchus, digon o ofod i groniclo hynt a helynt yr einioes yn fanylach, a rhai o'r meddyliau a'r drychfeddyliau a'r ehediadau ffantasmagoraidd sydd wedi anheddu'r ymennydd ar dro fel adar trofannol mewn cawell. Bu hyn yn arferiad drwy'r blynyddoedd, y manylion mwyaf dibwys a digri, colli'r ci, boddi'r gath, gwlychu i'r croen, trip Ysgol Sul, torri ffêr, torri ffenest, bowt o'r ffliw; ac felly, y mae pob math o gofnod a sylw a chlec ar gael hyd y dwthwn hwn.

Wrth droi tudalennau rhai o'r hen ddyddiaduron hyn, sylweddolais fel yr oeddwn wedi croniclo yn fy ffordd fy hun gwrs bywyd teulu, cymdogaeth ac enwad, a bod hanner can mlynedd wedi mynd heibio oddi ar y bore y ffarweliodd ein teulu ni â Chwm Rhondda am oror newydd. Mae tristwch y dyddiau olaf yn yr hen Gwm i'w weld mor amlwg ag ymyl ddu ar gerdyn mwrnio — gwerthu'r piano, yr oedfa olaf, pacio'r llestri, cymdogion yn galw i ddymuno'n dda; a'r un modd, y dieithrwch dirdynnol wrth sangu am y tro cyntaf ar balmant y ddinas, rhoi dodrefn yr hen gartref yn ein cartref newydd, wynebau newydd, acenion newydd, byd newydd, a'r hiraeth am y Cwm pell yn corddi'r coluddion fel injian-ddyrnu.

Ar y nos Iau olaf yn Awst, 1931, ymddengys i mi fynd i'r gyfeillach yn festri Moreia, Pentre, a darllen rhan o Mathew 4, yr act olaf cyn mudo dros y Bannau i Gaerlleon y bore wedyn; yna, ymddengys mai'r peth cyntaf ar ôl cyrraedd wedi gosod rhyw fath o siâp ar y tŷ, oedd chwilio am gapel y Bedyddwyr. Safai gyferbyn â marchnad anifeiliaid anferth, sinema fodern nepell yn ymffrostio mewn organ fawr lectrig, a chynêl, *Shropshire Union Canal*, rhyfeddod y rhyfeddodau, yn rhedeg tu cefn iddo, a'r barjis amryliw yn cludo sacheidiau mawr o flawd o'r stordai llychlyd. Wedi inni gynefino â'r ffaith mai capel bychan ydoedd, nodwedd a'm trawodd yn naturiol ar ôl cael fy magu yng nghanol capelau mawr y Deheudir, awgrymodd y muriau a'r ffenestri ar yr olwg gyntaf o'r tu allan hyd yn oed ei fod yn gapel nodedig o brydferth. Gwireddwyd fy nisgwyliadau y bore Sul cyntaf, a theimlais fy mod yn syllu ar y deml fach arbenicaf yr oeddwn wedi'i gweld ac yn debyg o'i gweld byth; a hanner can mlynedd union ar ôl yr hyfrydwch cynnar hwnnw, wedi gwneud fy ffordd a phrofi'r defosiwn rhwng muriau pob math o gapel yn y Gogledd a'r De bellach, dyma dystio nad wyf wedi gweld dim erioed i beri i mi newid fy meddwl. Nid oedd na cholofn na chlawstr nac allor yn yr Eglwys Gadeiriol gerllaw yn rhagori ar bensaernïaeth a cherfiadau'r capel bychan dros bont y ddinas yn fy ngolwg

Capel Penri.

ifanc y pryd hwnnw, ac nid yw'r blynyddoedd ond wedi ategu'r argraff.

Y capel hwnnw a'i gymdeithas gynnes oedd ein solas y pryd hwnnw fel salm a thelyn perganiedydd yn yr anialwch; yr wynebau mewn sedd a sedd fawr, yr enw i bob un mor gynefin â'r enwau yn yr hen Gwm, a'r Gymraeg ar bob tafod fel hyfrydlais, yn wir. Daw'r atgof yn ôl heddiw am y gŵr hyfwyn yn y pulpud, ei wallt a'i wisg a'i wên, dyn Duw o'i gorun i'w sawdl, a'i bersonoliaeth Feiblaidd yn cynganeddu â dydd Duw. Safai'n ddelwedd o gymhendod a gwyleidd-dra gweinidog yr Efengyl ger ein bron; dynol, oherwydd arddelai'r enw Mr Morgan; dewinol, oherwydd arddelai'r enw barddol Myllon. Ei destun oedd Luc 10:20: 'Llawenhewch yn hytrach am fod eich

Thomas Morgan, Myllon, Gweindog Penri.

enwau yn ysgrifenedig yn y nefoedd.' Enwau priod, enwau bedydd, ac enwau barddol hefyd mae'n siŵr! Llefarai Mr Morgan y testun hwn fel pe bai'r geiriau yn cael eu geni yn ei enau yr eiliad honno!

Mae fy nyddiaduron yn sôn am nifer o gymeriadau'r eglwys, manylion digon dibwys, ond yn golygu rhywbeth y pryd hwnnw; ac y mae fy nghof yn glir iawn am rai o'r amlycaf, Samuel Jones, W. R. Jones, y diaconiaid, a Humphrey Ellis ac Albert Hughes (arolygwr yr Ysgol Sul) a Pryce Davies (athro'r dosbarth). Mae enwi'r brodyr hyn yn unig yn ddigon i gynnig i ddychymyg dyn ddeunydd cyfrolau — ac y mae'r demtasiwn yn fawr! Samuel Jones, hanai o ddinas Lerpwl, Everton Village ei gefndir, Charles Davies, ei arwr, meddwl fel rasal, tafod fel dau rasal! Paratôdd ar gyfer y weinidogaeth, er na dderbyniodd eglwys ar ôl cael ei gydnabod, ond yr oedd yn ysgrythurwr cadarn (ac yn gwybod hynny!), diwinydd medrus, heb ei ystyried yn anfad nac anfoesgar i gadw'i drwyn yn ei Feibl pan oedd y pregethwr yn codi'i destun a hanner y ffordd drwy'r bregeth. Digon gwir, medrai fod yn feirniadol hyd at glwyfo, ond yr oedd ei ganmoliaeth yn werth ei chael, hyd at fendio.

Ffwndamentalydd mawr, edmygydd mawr o R. B. Jones, oedd W. R. Jones, gŵr tanbaid wedi llyncu'i Feibl o Genesis i'r Datguddiad, adnodau'n neidio allan o'i geg yn boer i gyd, dim diddordeb na deall o unrhyw fath o ddiwinyddiaeth, ei grefyddolder hoffus yn gofyn gan bregethwr dim mwy na chanmol Iesu Grist a sôn am yr ailddyfodiad bob hyn a hyn. Byddai Samuel yn edrych dros ei sbectol yn amheus i gongl arall y sedd fawr pan ffrwydrai W.R. ei haleliwia afieithus. Dywed fy nyddiadur i W. R. Jones fy llusgo i'r *City Mission* a'r confensiynau yn bur gyson, fy ngosod ar focs yn yr awyr agored i ddweud fy mhrofiad, a'm cael i ganu Sankey a Moody nerth fy ngheg yn yr ymdrech i gychwyn diwygiad yn y Wyrcws!

Mae gennyf gofnodion am gyfarfodydd arbennig i ddyfnhau'r bywyd ysbrydol pan oedd mab y cenhadwr enwog Hudson Taylor ymysg y siaradwyr. Cofiaf yn dda yr effaith a gafodd wrth sôn am waith ac arwriaeth y *China Inland Mission*, enw a ddaeth fel adnod ar dafod W.R. wedyn, testun pob sgwrs, byrdwn pob gweddi, a dechreuais amau ei fod yn coleddu rhyw fwriad dirgel i wneud cenhadwr ohonof finnau a'm transportio i Tseina ar y cyfle cyntaf. Nid wyf yn gwadu y gallasai'r anturiaeth fod yn fwy buddiol na dim yr oeddwn yn debyg o dreulio f'egnïon yn ceisio'i gyflawni o hynny ymlaen, ond yr oedd y fenter yn simsanu o'r eiliad y sylweddolais gymaint yr oedd yr injian ddyrnu wedi corddi yn f'ymysgaroedd o hiraeth wrth fudo o Gwm Rhondda i Gaer hyd yn oed. Sut bynnag, wrth edrych yn ôl trwy gymwynas y dyddiadur, dysgais ychydig am ddulliau efengylu a chynnal diwygiadau, ac er mor amrwd yw'r argraffiadau hyn, fe all nad ydynt yn anfuddiol i gyd. Ond fe adawn hyn o ddoethinebu tan yn hwyrach . . .

Pobl Penri.

Pryce Davies (ar y dde).

Gŵr glanwedd a bonheddig oedd Pryce Davies; eisteddai yng nghanol y sedd fawr rhwng Samuel Jones a W.R., heb fod yn rhy bell oddi wrth y naill na'r llall nac yn rhy agos atynt; a bûm yn meddwl ar dro mai ei ddoethineb a gyfrifai am hynny, oherwydd niwtral ydoedd yn ddiwinyddol, yn ochri mwy o bosib gyda Samuel a'i ryddfrydiaeth na chyda W.R. a'i ddiwethafiaeth a'i lythyrenolrwydd. Yr hyn a gofiaf amdano yn ei ddosbarth yw'r ffordd y defnyddiai'r mapiau yng nghefn

W. R. Jones.

ei Feibl, yr enwau ysgrythurol ar flaen ei dafod fel pe bai'n sôn am Abergele, Llithfaen, Cefn Mawr wrth ddarlunio i ni deithiau'r genedl neu grwydriadau'r deuddeg disgybl, oherwydd casglai'r wybodaeth ryfeddaf am y cefndir Beiblaidd. Nid oedd anhawster o gwbl i Pryce Davies gael yr ieuenctid i'r Ysgol Sul a hynny'n brydlon; nid gwers galed oedd ganddo, ond trip am y prynhawn a'r Môr Coch a Llyn Galilea, Mynydd Sinai a Mynydd yr Olewydd, yn fwy reial i ni na'r cloc ar y wal.

Mae'n debyg mai Humphrey Ellis, cefnder y Parchedig Humphrey Ellis, Caernarfon, oedd yr enaid mwyaf bywiog a brwdfrydig a welais erioed yn ymwneud â gwaith yr Ysgol Sul. Cafodd Penri, Caer, gyfnod nodedig pan oedd ef wrth y llyw. Mynnai i bob dosbarth a phob oedran gynnig arholiad yr Ysgol Sul, ac ymffrostiai'r eglwys ar ennill y darian dro ar ôl tro. 'Roedd ei siars ar ddiwedd y prynhawn bob Sul fel cadfridog yn annerch ei filwyr; pob gorchymyn yn glir a phendant, ac anufudd-dod y drosedd fwyaf. Mae rhai o emau'r hyfforddiant cynnar hwnnw'n aros yn y cof. Ar wahân i ffyddlondeb, yr oedd yr iaith Gymraeg i fod yn anadl einioes y gymdeithas. Onid oeddem yn perthyn i gapel a arddelai John Penri, gŵr a ferthyrwyd dros yr iaith Gymraeg? A oeddem am ddifrïo'i aberth trwy siarad Saesneg ar ei aelwyd ei hun? Ni feiddiai'r un plentyn gynnig adnod Saesneg yng Nghapel Penri ar ddiwedd oedfa nos Sul!

Sut bynnag, wedi sylweddoli fod dyddiau ysgol yn gorfod dod i ben ar ôl gadael Cwm Rhondda, sylweddolais hefyd fod dyddiau gwaith yn gorfod dechrau. Dethlais fy mhen-blwydd yn 15 oed.

Nid oeddwn yn ddyn, ond nid oeddwn yn blentyn mwyach.

Cefais syniad o'r byd mawr tu allan ar y daith o'r Cwm i'r Gogledd ar doriad gwawr fy mhen-blwydd, 1931. Byd bychan oedd byd fy ngeni, hen fynyddoedd digon moel a sarrug, eu llethrau'n greithiau du ac yn ein cau i mewn o'r ddeutu fel dau hen gi mawr yn cornelu cathod bach. Bu cerdded i lawr yr hen stryd, mynd i mewn i'r hen gegin, dringo'r hen fynydd, yn brofiad chwithig ymhen blynyddoedd wedyn, a ninnau wedi ychwanegu peth at ein cufyddau.

Wedi symud o Gwm Rhondda, siop Ieuan a pharlwr Mrs Jones Tregaron yn cynrychioli ein syniad gystal â dim o fyd masnach, dipyn o ysgytwad i'r synhwyrau a'r dychymyg oedd cerdded strydoedd poblog dinas, syllu ar ffenestri lliwgar a llwythog y siopau mawr, ymwâu a chymysgu â'r tyrfaoedd diwyneb. Nid oedd wyneb dyn nac anifail yn medru mynd heibio gynt heb fy mod yn ei adwaen wrth ei enw, ond bellach yr oeddwn mor ddiymadferth â chyw yr eryr yn cael ei daflu dros ymyl y nyth i guro'i adenydd yn yr ehangder mawr. Gwyddwn yn iawn o ble yr oeddwn wedi cychwyn allan, yr hen gwm tywyll draw, draw yn y pellter, ond nid oedd gennyf syniad i ble yr oeddwn yn mynd. Dyfalwn ar ddi-hun am oriau, beth ar y ddaear a ddeuai ohonof, bererin a dieithryn yn yr hwrli-bwrli dinesig hwn. Dim siawns am ysgol mwyach, bûm yn ceisio dysgu llaw-fer mewn dosbarth nos, a hyn o ddarpariaeth ysgolheigaidd a'm cymhwysodd i gael swydd mewn siop groser, pymtheg swllt yr wythnos.

Bae Colwyn

Gadewais ddinas Caer ar y trên am Fae Colwyn ar ôl cinio dydd Llun, Tachwedd 9, 1931, a dechreuais weithio'r bore wedyn yn siop Sadrac Ifans a'i fab. Am fachgen yr hysbysebwyd, ond nid oeddwn wedi gwisgo ffedog wen na sefyll tu ôl i gowntar yn hir cyn sylweddoli mai swydd addasach i geffyl y Co-op oedd hi yn ôl yr hyn a ddisgwyliai'r grosar am ei bymtheg swllt. Dyn digon crefyddol ei anian oedd Sadrac, capelwr selog gyda'r Wesleaid, edmygedd di-ben-draw ganddo o John Ifans, Eglwys-bach, Tegla, Tecwyn, a John Roger Jones. Ar ddiwedd fy nydd cyntaf yn ei wasanaeth, hysbysodd fi fod gŵyl flynyddol ei gapel, Rehoboth, y noson honno, a siarsiodd fi i fod yn bresennol, gan gofio i fod yn gynnar neu ni chawn le. Nid oedd angen yn y byd iddo berswadio mor daer, gynted ag y cefais fynd yn rhydd o'r ffedog a'r cowntar, llyncu cwpaned o de, crib drwy fy ngwallt, rhedwn nerth fy nhraed i lawr Rhiw Road, cyn gwthio fy ffordd mor boleit ag y medrwn drwy'r bobl a lenwai'r stryd a'r lobi, a sicrhau sedd ar y grisiau yn uchder yr oriel. Y pregethwyr gwahoddedig oedd y Parchedigion Parry-Brooks ac Arthur Davies, Llundain. Sylwais fod gan Mr Parry-Brooks lyfr bach taclus ar ganol y Beibl, ond ni ddefnyddiai Mr Davies nodyn o'i flaen. Penderfynais heb betruso mwyach am y peth, mai Mr Davies, Llundain, oedd y pregethwr gore o ddigon. Fel un yn hyddysg mewn cyfarfodydd pregethu a'u techneg a'u cewri, yr oeddwn yn bencampwr ar ddarganfod y pregethwr gore bob cynnig. Ystyriwn y gallu i wneud hynny'n bwysicach na deall yr hyn a ddywedai'r un ohonynt! Anfantais yn fy ngolwg oedd i bregethwr fynd yn *rhy* ddifrifol; cyfrinach pregethu oedd swyno cynulleidfa. Gore i gyd os oedd neges, wrth gwrs, ond yr

Tabernacl, Bae Colwyn.

apêl oedd yn bwysig. Hynny yw, ni fedrwn ddychmygu unrhyw grefydd werth sôn amdani, heb arwriaeth a llwyfan a thyrfa a gwefr. A gwelais fy mod wedi cyrraedd Bae Colwyn mewn pryd i brofi a mwynhau hyn oll yn gyson, Saboth ar ôl Saboth. Yr oeddwn ar ben fy nigon.

Ar ganol y briffordd yn y dref, bron mor amlwg ag eglwys y plwyf, safai'r Tabernacl, capel y Bedyddwyr. Gweinidog yr eglwys a addolai yno oedd y Parch. J. S. Jones. Cyflawnai bob disgwyliad a dimensiwn yn fy nychymyg o'r hyn a ddylai pregethwr fod. Meddai bersonoliaeth hardd, fel cerflun o ddyn prydferth, wyneb apostolaidd, a holl drydan yr efengyl yn pefrio yn ei lygaid. Fel pregethwr, meddai lais yn llawn o gyfaredd, bariton aeddfed yn fwy addas i opera na phregeth falle, ond golygai pan ddewisai ganu emyn ar ddiwedd ei bregeth, ei ddylanwad yn gwbl anhygoel. Capel hirgul oedd y Tabernacl, milgi o gapel yn ôl rhai, ond yr oedd yr adeilad yn llawn at y drws ar nos Sul, ac oedfa ar ôl oedfa yn brofiad cofiadwy a chynhyrfus. Sylweddolwn mai syml iawn oedd y bregeth, ond yn y fath awyrgylch nid oedd ond symlrwydd yn gweddu. Dyma'r gamp. Dyma'r nod. Anaml y sonnid am unrhyw broblem gymdeithasol neu genedlaethol; pechod oedd yr unig beth a flinai dynion, beth bynnag a olygid wrth hynny, ond yr oedd gobaith a gwaredigaeth ar gael, ac nid oedd enaid yn yr oedfa na chredai hynny. Y prawf oedd y gorfoledd tawel a deimlai.

Wrth edrych yn ôl, mae bron yn amhosibl coelio'r fath ddylanwad oedd gan y gŵr hwn ar ei gynulleidfa a'r fath barch a feddai pob henwr a phlentyn yn yr eglwys tuag ato. Gwelais ambell un yn torri'i wallt 'run fath â'i weinidog, a chan fod gwallt J.S. yn ddigon nodedig, go brin y gellid beio neb am fentro efelychu. Cynhelid cyfarfod gweddi a chyfeillach bob wythnos, wythnos o gyfarfodydd gweddi cyn yr ŵyl bregethu flynyddol, a digon o weddïwyr dawnus i gynnal pob oedfa a mis o gyfarfodydd gweddi pe bai gofyn. Ond yr oedd rhai o'r doniau parod hyn, yn ddigon diniwed a diffuant, ar eu traed neu ar eu gliniau, yn methu'n lân ag osgoi'r demtasiwn i roi cynnig ar efelychu'r gweinidog. 'Roedd perorasiwn J.S. yn gyfareddol iawn, ond pe bai dyn yn mynd ati i feirniadu, gellid dadlau ei fod yn dipyn o solo ar adegau yn gymaint â bod llais canu swynol dros ben ganddo. Gwyddai i'r dim beth oedd yn bosibl iddo, a beth oedd yn amhosibl, ac ni fentrodd erioed tu allan i gwmpawd ei ddoniau; felly, ar hyd ei yrfa, gofalodd i baratoi ei bregeth yn fanwl a'i chofio'n fanylach, heb gymryd arno erioed ei fod ar ei draed i athronyddu na chynnig gweledigaethau nac unrhyw ddamcaniaethau gwreiddiol. Cofiaf bregethu gydag ef unwaith yn Llanllyfni, a chafodd oedfa o naws ryfedd yn y bore, yr haul yn gwenu ac yntau yn yr ysbryd, os y bu dyn erioed. Ar ôl yr oedfa mynegais y fendith a gefais a'r hyfrydwch a deimlid gan bawb. Chwarddodd, cyn rhoi diolch digon swil, ac ychwanegu, ''Does dim dibynnu o ble y daw'r blawd a'r elfennau, ond *fi* biau'r dorth!' Wel, go brin y gellid dweud hynny am rai o'i edmygwyr bach uchelgeisiol. Clywid weithiau ar ôl oedfa ysgubol nos Sul, un ar ei liniau yn ceisio aralleirio'r bregeth ac ailgynhyrchu'r 'hwyl', heb feddu na chof na llais J.S., na'i bersonoliaeth fawr.

J.S. a'i bobl.

Hydref 1931, y ddau bregethwr yng ngŵyl bregethu Tabernacl oedd y Parchedigion F. Waldo Roberts, Caergybi, ac R. S. Rogers, Abertawe. 'Canys felly carodd Duw y byd fel y rhoddodd . . .' oedd testun y gŵr o Gaergybi, a chofiaf iddo fathu gair fwy neu lai; soniai am 'osgo roi' Duw, a gwnaeth y fath ddefnydd areithyddol o'r gair cyfansawdd nes i bawb ei dderbyn fel gair newydd sbon. Soniai Robert Jones, Wayside, a Robert Williams, Dingle, am yr 'osgoroi' ymhen blynyddoedd wedyn. Pregethodd Mr Rogers un bregeth dipyn yn ysgolheigaidd, yr oedd ar ganol sgrifennu ei lyfr ar Ddiwethafiaeth, a diau iddo sylweddoli mai dyna'r tro diwethaf y câi ef ymweld â'r Tabernacl os mai *fel'na* 'roedd hi i fod. Newidiodd ei bregeth a'i ddull, ac yn yr oedfa olaf defnyddiodd ei lais i hebrwng y berorasiwn fwyaf eneiniedig y gellid dymuno clywed yn nef y nef.

Er i safon y pregethu gyrraedd pinaclau uchel iawn, nid oedd yr un o hen gymeriadau'r Tabernacl — William Jones y Rhiw,

Jubilee Young.

Thomas Jones y pen-blaenor, Robert Williams Garlenda, Edward Dafis y posmon, gŵr cadarn yn yr ysgrythurau, dynion wedi eu trwytho yn yr efengyl, yr un ddawn ganddynt i flasu pregeth ag i farnu ffrwyth yr ardd — yn fodlon dweud i'r llanw godi'n uwch nag a wnâi bob nos Sul dan weinidogaeth J.S. Pe digwyddai'r fath beth fod yn wir, nid oedd yr un ohonynt wedyn yn debyg o gydnabod hynny, ac nid oedd dwywaith amdani y byddai gwneud hynny gyfystyr â brad yn eu golwg.

Gwelaf yn ôl fy nyddiadur i'r hen gyfaill Jiwbili Young ddod heibio, y capel yn orlawn, Dr Davies Castell-nedd a Tom Nefyn newydd gynnal cyfarfodydd pregethu yng nghapel y Methodistiaid, Bethlehem, a'r Dr Peter Price, Abertawe, a Gwilym Rees, Caerdydd, newydd ddyrchafu enw da'r pulpud Annibynnol yn y gymdogaeth, a'r Bedyddwyr felly yn disgwyl pethau mawr ac yn gweddïo am wenau'r Arglwydd. Nid oedd amau duwioldeb a diffuantrwydd yr hen wrandawyr, ond y mae'n rhaid cydnabod fod yr elfen gystadleuol yn gryf ym mhob un ohonynt pan ddeuai'n fater o bregethu; gall fod hynny'n edrych yn beth od iawn heddiw, ond cyn beio nid amhriodol yw i ni sylweddoli nad oes unrhyw fath o gwestiwn am gystadleuaeth yn codi chwaith lle nad oes unrhyw fath o safon yn bodoli. Mae pregethu cystadleuol (a bu digon o hynny o gwmpas unwaith) yn beth afiach ddigon, ond y mae pregethu heb safon o fath yn y byd yn fwy afiach byth (ac y mae dipyn o hynny wedi bod o gwmpas hefyd).

Ta waeth, yn ôl at y stori; 'roedd Jiwbili wedi pregethu mewn capel tu allan i Fae Colwyn y noson flaenorol, heb iddo gael gafael o gwbl; nid oedd caredigion yr enwadau eraill yn brin o grybwyll hynny, ond gwrthododd William Jones y Rhiw ildio modfedd, gan ateb, 'Fasa Gabriel ddim yn cael gafael arni'n fanna! Da waeth, dim ond rhyw le i drei-out ydy o!'

Eisteddwn tu allan i'r sedd fawr, a chofiaf weld y gŵr o Lanelli yn ymsythu wrth sylweddoli fod y lle'n orlawn pan gerddodd i mewn o ystafell y gweinidog. 'Arglwydd, caniatâ i'th weision lefaru dy air di . . .' o'r Actau oedd ei destun, a chafodd oedfa a wnaeth i'w gynulleidfa lesmeirio bron, heb gofio dim mwy am ragfarn. Canmolai pob Annibynnwr, Methodus, a Wesle yr oedfa a'r bregeth, y Methodistiaid heb glywed dim byd tebyg oddi ar y bu Brynsiencyn a Thomas Charles yn yr ardal, yr Annibynwyr yn sôn am oedfa Elfed a Gwylfa gynt fel y peth agosaf a fu yn eu clustiau i'r huotledd eneiniedig a ddaeth o enau Jiwbili Young. Yr unig rai a dymherai'r ganmoliaeth ychydig oedd un neu ddau o'r Bedyddwyr selog a ofnai am eu bywyd i neb dynnu J.S. oddi ar ei bedestal, felly cafwyd y mymryn lleiaf o feirniadaeth heb i hynny adlewyrchu ar y bregeth na'r pregethwr, 'Fedrwn i ddim dal popeth pan oedd o'n iwsio gormod o'r hen iaith Sowth 'na!'

Nid cofnodi'r uchel-ŵyliau a champau pregethwrol yr 'hoelion wyth' yn unig a wneir yn fy nyddiaduron, ond gwelaf i mi groniclo ymweliad ac oedfa aml i bregethwr cynorthwyol a myfyriwr gwylaidd, ac wrth sylwi ar eu henwau bellach, y mae'r atgofion yn dychwelyd fel 'adar Rhiannon'.

Pregethwyr Achlysurol

Pan fo creadur bach meidrol yn prifio, y byd o'i gwmpas yn ddigon dieithr a'r ddaear dan ei draed yn ddigon ansefydlog, mae elfen o ofn yn rhwym o'i fygwth a mesur o ansicrwydd yn siŵr o'i lorio. Bydd yn ymwybodol o brinder ei adnoddau i wynebu argyfwng ac amgylchiad, pob wyneb a phob sefyllfa fel pe'n gwneud dimand newydd ar ei einioes, a fawr ddim ganddo i'w gynnig yn ei freuder a'i anaeddfedrwydd ond rhyw ufudd-dod gwylaidd, gwasaidd fel ci bach wrth gadwyn neu gaethwas dan lach mewn ymdrech i fod ar delerau da â phawb. Mae magwraeth sy'n gosod 'byhafio' yn brif ddiben bodolaeth yn peri i'r ymwybod o 'euogrwydd' blycio cydwybod plentyn yn union fel y bydd dant drwg yn throbio'r nerfau, ac y mae cymdeithas sy'n gosod confensiynau bach digon diystyr fel weiren bigog o gwmpas bywyd y baban yn ei grud hyd yn oed, er i'r bwriad fod yn glodwiw a'r amddiffyn fod yn ofynnol weithiau, yn creu tensiwn a all amharu gyrfa creadur o'i blentyndod i'w henaint fel cloffni neu atal-dweud neu nam ar yr ymennydd.

Fe'n dysgwyd ni fod deg gorchymyn yn ddigon ar gyfer yr hen genedl gynt, ond mynnodd ambell hen fodryb rwygo deg ar hugain o leiaf o graig ei phiwritaniaeth i hebrwng rhyw nai bach diniwed ar y llwybr cul o'r ABC i'r bywyd tragwyddol. 'Ysgwyd llaw yn neis!' — 'Dwêd thenciw!' — 'Rho gusan i modryb!' — 'Cau dy geg wrth fyta!' — 'Rho sedd i'r ledi!' — mae'n bosibl i'r rheidrwydd o gyflawni holl ofynion moes-garwch mewn cymdeithas fach glòs brofi'n fwy o dreth i gnawd nawmlwydd na dril haearnaidd catrawd o filwyr ar sgwâr y baracs.

Felly, yn gymaint â bod capel ac emyn ac oedfa, y math o fyd yr wyf yn sôn amdano, yn rhan mor hanfodol o fywyd â bara-menyn a phâr o esgidiau, mae'n naturiol i'r gorchmynion bach ffyslyd hyn a'r holl boleitrwydd bachgennaidd sy'n gysylltiedig â nhw, fynd yn rhan o'r grefydd honno wedyn, dyletswydd yn union fel cariad brawdol, egwyddor fel y bregeth ar y mynydd, nes i'r 'capel' wisgo delwedd 'baracs', yr unig gaer ar gael i warchod gwerthoedd a gweddusterau'r bywyd dynol.

Pen draw ysblennydd pob gyrfa ddynol yw rhinwedd, ond yn gymaint ag y geilw hynny am ddisgyblaeth, boed filwr, boed fynach, boed fachgennyn bochgoch direidus, mae'n rhwym, neu'n debyg, o droi unrhyw 'grefydd' yn y cwestiwn braidd yn ormesol hwyr neu hwyrach; ffaith sy'n awgrymu fod agor y drws i belydryn neu ddau o sirioldeb dynol befrio ar ein heinioes bryderus yn seicoleg effeithiol a buddiol ddigon, beth bynnag. Mae'n wir y gall hynny arwain at fesur o arwynebedd falle, ond gall y gwrthwyneb arwain at fesur helaethach o ddifrifwch a thyraniaeth; ac fe all mai'r unig ddewis sydd gennym yn y pen draw yw chwerthin ein ffordd drwy fywyd i lawenydd bythol neu bendympian fel pypedau i ddiflastod ac anobaith. O leiaf, dyna'r argraffiadau sydd ar ôl bellach fel cregyn ar draeth . . .

Dywedwn hyn oll am fod gwahaniaeth amlwg erbyn hyn, hyd y gwelwn, yng nghymeriad y bod bach anturus hwnnw a eilw'r capelau yn 'stiwdent'. Gellid olrhain ei dwf a'i newid a'i drasiedi mor bendant â thymheredd baban yn y frech pe na wnaem ddim arall ond dychwelyd at Rhys Lewis a'i gyfoedion yng Ngholeg y Bala, ond go brin fod hynny'n ofynnol i'r perwyl y tro hwn. Yr unig reswm am nodi'r mater o gwbl ac ymhelaethu yw cynnig rhyw fath o ddiffiniad, os nad amddiffyniad hefyd, o un genhedlaeth arbennig, rhag i genhedlaeth arall wrth straenio corn gwddw a dychymyg i edrych yn ôl dybied i rywrai ohonom fyw yn arwynebol gan afradu doniau a heb brynu'r amser. Os yw'r efengyl yn rhywbeth o gwbl, mae'n solas i greadur meidrol dan y sêr; ac y mae sylweddoli gymaint â hynny'n help i werthfawrogi bwriad a byrdwn aml i bregethwr bach uchelgeisiol yn y dyddiau a fu. Mi ddylai fod, o leiaf.

Un o'r enwau cyntaf yn fy nyddiadur o bregethwyr

achlysurol yw gŵr bychan o'r enw Ap Huwco. Barnaf mai'r Parch. H. W. Owen oedd ei enw, ond fel Ap Huwco yr adwaenid ef gan bawb. Cofiaf mai gŵr cloff ydoedd. Yr oedd yr enw barddol yn awgrymu i mi mai bardd ydoedd. Yr oedd bod yn bregethwr yn ddigon i ennyn fy niddordeb, ond yr oedd darganfod ei fod yn fardd-bregethwr yn dyblu'r diddordeb. Fe all mai llusgo'i ffordd i'r pulpud a wnaeth y gŵr bychan hwn, ond ni bu yno'n hir iawn cyn imi sylweddoli ei fod yn medru hedeg, a hedeg yn uwch na llawer o'i gymrodyr. Deuai'r brawddegau allan o'i enau, un ar ôl y llall, bron fel cân allan o enau rhyw ganwr penillion medrus, esgyn, disgyn, a rhyw nodau toddedig a geiriau telynegol a gâi'r fath effaith ar y gynulleidfa fel nad oedd ystyr na synnwyr yn arbennig o bwysig.

'Mae eos Cariad yn medru canu yn y goedwig dywyllaf!'

'Mae'r drysau pwysicaf yn y byd yn hongian ar yr hinjis bach mwyaf dinod!'

'Dydy'r niwl ddim yn pwyso gymaint â phluen, ond mae'n medru cuddio'r Himalaya fawr!'

Dyma'r math o frawddegau a glywais o enau'r bardd-bregethwr cloff, brawddegau a wnâi argraff fawr arnaf, oherwydd yr oedd gennyf ewyrth caredig y pryd hwnnw, un a gadwai lyfr bach yn llawn o ddyfyniadau tebyg gan ei gynnig o gwmpas yn fynych fel bocs o siocledau i'w blasu. Dechreuais dderbyn ei ddyfyniadau pan oeddwn yn ddeg oed, ac erbyn hyn yr oedd gennyf ddant melys iawn.

Cofiaf i William Jones y Rhiw grybwyll wrthyf ar ôl ymweliad Ap Huwco, ''Roedd o'n f'atgoffa o Oliver Edwards.'

'Pwy?' meddwn innau, allan o'm dyfnder.

'Awdur *Yr Ardd Flodau*!' oedd ateb William, yn syn, 'Ym mha ysgol fuost ti?'

Cefais wybod mai brawd y Prifathro William Edwards, Caerdydd, oedd Oliver Edwards, 'A gwell pregethwr na'i frawd, er bod hwnnw'n sgolor go fawr.' Cefais gopi o'r *Ardd Flodau* a rhai o'r cyfrolau eraill gan William Jones y Rhiw. Math o bregethau pryddestol neu bryddestau pregethwrol oedd y rhain, brawddegau cywrain a blodeuog, yn perthyn i draddodiad rhyddiaith diwedd y ganrif ddiwethaf. Mi glywais y diweddar John Thomas Blaen-waun yn taeru, 'Dichon na wnaethon nhw fawr o argraff mewn steddfod, ond mi garantïa eu bod nhw wedi rhoi llawer oedfa ar dân.'

Daeth pregethwr arall heibio, y Parch. Gardde Davies, yr Wyddgrug, bardd-bregethwr arall, englynwr medrus, ond sylweddolais wrth wrando arno fod ei bregeth yn ddatblygiad o un thema, nid cyfansoddiad o wahanol ddyfyniadau bachog. 'Roedd sglein ar frawddeg a'i eirfa'n ddethol, ond gwelais mai rhediad y neges oedd yn bwysig, nid rhyw fân ffrwydriadau cytseiniol a chynganeddol.

Wrth edrych yn ôl, mae'r profiad hwn yn fy nharo fel un pwysig i mi'n bersonol, oherwydd gwnaeth imi ofyn cwestiwn yn lle derbyn popeth a glywn am ei geinder a'i sŵn, fel petái. Bu anesmwythyd yn fy mhoeni ers tro byd pan awn i wrando'r efengylwyr gyda W. R. Jones yn y *Chester City Mission*, nid fy mod *am* fod yn stwbwrn i dderbyn syniadau, ond yn chwennych holi'n ddyfnach heb wybod yn iawn pa gwestiynau i'w gofyn. Gwn fy mod yn gofidio'n fawr y pryd hwn wrth wrando eraill yn datgan barn mor groyw, a minnau'n methu penderfynu'n iawn beth *oedd* fy marn. Barnwn fel hyn un funud, cyn i rywun ddod heibio a newid fy marn mor rhwydd â chwa yn altro cyfeiriad ceiliog y gwynt. Mentrwn weithiau i ddadl fel cawr, cyn gorfod ildio a chywilyddio ar ôl derbyn crasfa.

Dywed fy nyddiadur mai'r pregethwr yn y Tabernacl, Bae Colwyn, Sul, Ionawr 10, 1932, oedd myfyriwr o Goleg Bangor, Mr E. Bryn Jones, Caellwyngrudd. Ar ôl gorffen yn y siop nos Sadwrn, áwn am dro i'r dref gyda fy nghyfaill Tecwyn — yntau'n anelu am y weinidogaeth gyda'r Wesleaid. Pwy oedd yn aros ar ben Stryd yr Orsaf ond gŵr ifanc main, gwallt coch, a bag yn ei law; a phenderfynais ar unwaith mai dyma'r stiwdent a ddisgwylid yn y Tabernacl. Nid ei gorff main na'i wallt coch oedd sail y dyfaliad, gyda llaw, ond y bag yn ei law — 'roedd gan bob pregethwr werth ei halen fag y dyddiau hynny! Hanner y

Tecwyn Parry.

rhamant o fod yn bregethwr oedd cael bag a mynd i ffwrdd ar nos Sadwrn ar gyfer cyhoeddiad y Sul. Pan ddaeth y Sul, cefais wybod hefyd fod gan y stiwdent hwn ddigon o bethau da *yn* ei fag!

Ni fedrwn adael i'r fath gyfle fynd heibio heb gael gair ac ysgwyd llaw, ac er mor ddiniwed a doniol hyd yn oed yr edrych y cyfarfyddiad cynnar hwnnw bellach, bu'n gychwyn cyfeillgarwch sydd wedi sicrhau rhai oriau aruchel eu hawddgarwch a'u hiwmor i mi. Gwelaf nad wyf wedi croniclo dim am *bregethu*'r stiwdent, ond daliaf fod rheswm da am hynny, oherwydd y mae'r atgof am y Sul hwnnw a'i argraff arnaf wedi aros. Nid oedd y pregethwr hwn yn cynnig lleisio na pheswch nac iwsio sbectol fel y gwnâi llawer o bregethwyr y cyfnod, ond bodlonai ar ddweud yn gwrtais a siriol yr hyn oedd ar ei feddwl i'w ddweud. Sylwais fod nifer o'r hen frodyr, Owen Jones Hillside, Simon Williams, John Hughes, a'r hen drwbadŵr William Jones y Rhiw, dynion cadarn wedi eu magu yn sŵn pregethu mawr Cymru, ar ôl rhyw bum munud aflonydd yn dechrau strejo a chlustfeinio, ac un yn rhoi winc i'r llall, rhyw fflachio syndod a chymeradwyaeth o sedd i sedd fel mors-côd dros donnau'r môr. Ac i mi, yr oedd y Sul yn fendithiol a chofiadwy, oherwydd gwawriodd arnaf yr hyn oedd yn bosibl o bulpud trwy siarad naturiol heb gynnig tiwnio na thoncian ddim. Nid fy mod i'n debyg o fodloni ar hynny yn un ar bymtheg oed! Onid oeddwn, yn fy nychymyg breuddwydiol, ar y ffordd i'r capel mwyaf yng Nghymru, cynulleidfa o fil o leiaf, a gyrfa o bregethu huawdl awr a hanner, marathon o oedfa, holl Suliau fy mywyd? Ond yr oedd fy namcaniaethau pulpudol wedi cael dipyn o sgegiad a chym-tŵ wrth wrando'r stiwdent o Goleg Bangor, serch hynny.

Dywed fy nyddiadur mai'r gŵr a lanwai'r pulpud yn y Tabernacl, Sul, Awst 21, 1932, oedd y Parch. Glynne Davies Jones, gweinidog ifanc Bancffosfelen. 'Wele, heuwr a aeth allan i hau . . . ' — dyna'i destun ac ymhen eiliadau, yr oeddwn yn glustiau i gyd yn gwrando ar ddyn yn pregethu, heb godi'i lais na siarad trwy'i drwyn eto, ond rhyw arddull fel dweud stori; ac yr oedd gen i glust am stori dda erioed.

'Be haru ti, hogyn?' meddai'r hen Sadrac Ifans, fy meistr, y bore wedyn yn y warws, ''Rwyt ti wedi mynd yn fud yn ddiweddar!'

Arferwn ymarfer fy nawn yn y warws neu tu ôl i'r siop wrth bwyso siwgr neu lapio menyn, ond yr oedd y stiwdent o Fangor a'r gŵr ifanc o Fancffosfelen wedi fy argyhoeddi eu bod yn bryd i mi newid fy steil *cyn* ei mabwysiadu, yn wir. Pregethwn i'r sacheidiau blawd a'r ddwy gath fawr, gan ailbobi'r hyn a glywswn gan Bryn ac ailwampio'r hyn a glywswn gan Glynne. Ac os yw pwran cath yn unrhyw fath o arwydd, mi daeraf imi gael oedfa wlithog fwy nag unwaith ymysg y cathod a'r blawd!

Sut bynnag, mae fy nyddiadur yn f'atgoffa i mi fynd ar y nos Fercher, Tachwedd 9, 1932, i oedfa yn Horeb, Cyffordd Llandudno, a'r gŵr a wasanaethai'r eglwys yn ei gŵyl bregethu oedd y Parch. J. Williams Hughes, Tabernacl Caerdydd. Ei destun oedd Luc 8. 46: 'A'r Iesu a ddywedodd, Rhyw un a gyffyrddodd â mi: canys mi a wn fyned rhinwedd allan ohonof.' A chyffyrddodd yntau â minnau hefyd, fel na fedrwn aros i ymarfer yr arddull newydd o flaen y cathod a'r sachau defosiynol yn y warws.

Ond yr oedd gen i broblem . . . Beth ar y ddaear a wnawn â'r llais oedd gen i? Mae'n wir nad oedd y llais crybwylledig hwnnw'n offeryn rhy swynol ar hynny o bryd, pob math o gric a gwich a chrawc yn amharu fy llafar bachgennaidd heb rybudd yn y byd. Serch hynny, teimlais y bu'n hyfrydlais yn fy nghlustiau i ac eraill yn fy nyddiau soprano, a chefais sicrwydd gan fy hynafiaid y dychwelai'n offeryn cerdd ysblennydd, dim ond i mi gau fy ngheg am sbel. Ond pa iws oedd llais fel Caruso neu Saunders Pontycymer, a minnau wedi penderfynu pregethu bron fel mudan mwyach?

Tystiolaeth fy nyddiadur yw i'r sefyllfa gael ei setlo pan ddaeth gŵr arabus heibio i'r gymdogaeth i bregethu, un a glywswn rai blynyddoedd cyn hynny yng Nghwm Rhondda pan siglwyd fy einioes fel cwch bach ar gefnfor ganddo, a thwmlo fy nheimladau nes yr oedd holl emosiynau fy enaid fel graean mewn gogrwn. Glasnant Young oedd enw'r pregethwr hwnnw. Arhosodd ei hudoliaeth fel rubanau'r enfys ar hyd fy

Y Parchedig Glasnant Young.

llwybrau am hydoedd. A phe gofynnid i mi, gan edrych fel y gwnaf yn awr dros ysgwydd hanner canrif, pwy oedd y pregethwr a gyffroai ac a ysgydwai ddynion fel corwynt a'u llonni a'u lliniaru fel llinynnau'r delyn farnais newydd ore, atebwn heb betruster mai hwn oedd y dyn. Gallaf ei glywed yn awr —

> 'Mae 'na lawer o ddisgrifiadau pur ddigalon o'r greadigaeth 'ma yn y Beibl. Mae'r Beibl yn bur llawdrwm arni. Cartre tywyllwch! Mangre drygioni! Yma mae dirgelwch yr anwiredd yn gweithio! Dyma grud yr anghristiau! Dyma fynwent delfrydau! Dyma breswylfod pechaduriaid! Dyma rodfeydd yr annuwiolion!
>
> A ddichon dim da ddod o'r hen greadigaeth 'ma?
>
> Wel, gelwch yr hen gread 'ma wrth yr enwau gwaethaf y gwyddoch amdanynt, ynddi hi hefyd y mae pethau gore Duw; a mwy na hynny, Duw ei hunan.
>
> Mae yma hen lecynnau y byddai'n dda iawn gennym eu dileu am byth. Mae eu hanes yn warth! Mae eu llun yn aflunieidd-dra!
>
> Ond, cofiwn fod yma le a elwir Bethlehem Effrata. Mae Gethsemane yn un o erddi'r cread. Mae Calfaria yn un o'i bryniau. Mae yma fedd mewn craig lle cafwyd bore'r trydydd dydd i'r gobaith a gladdwyd.
>
> Bloeddiwch faint a fynnoch am y drwg sydd yma, ond fe floeddiaf innau'n uwch fyth ddyfod Crist Iesu i'r byd hwn i gadw pechaduriaid!'

Anodd iawn i gawr pymtheng mlwydd oed oedd bod yn fud ar ôl clywed peth fel'na!

Cyn bod y Beatles yr wyf fi!

Hen Ddyddiaduron

Mae chwilota hen ddyddiaduron yn debyg o daro ambell un o bosib fel act faldodus braidd, rhyw ymfoddhad bach hunanol sy'n ymylu ar yr hyn a eilw'r Sais yn *indulgence*, a chystal cyfaddef ar ei ben mai dyna ydyw, onid oes i eraill falle ddiddordeb yn y ffordd y mae meddwl creadur digon cyffredin yn ymagor. Ni fedr y cynnwys gynnig unrhyw fath o apêl i eraill ar wahân i'r diddordeb hwn, a go brin y mae neb arall yn debyg o gael ei gyffwrdd neu'i ogleisio yn union fel y caf i wrth daro ar hen, hen gofnodion fel hyn — **'Daeth D'ewyrth Rhisiart o Lanharan i'n gweld.'** — pwy sydd eisiau gwybod bellach am hynny? Ac eto, os dywedaf fod gweld y Rhisiart hwnnw yn dod trwy'r drws mor hudol i mi y pryd hwnnw â gweld un o farchogion Arthur yn cymryd ei le wrth y bwrdd bwyd, gall y bydd eraill yn dal y wefr o edmygedd sy'n medru siglo bachgennyn i'w seiliau ym mhresenoldeb y dewr a'r arwrol a'r cadarn. Cefnder fy mam oedd Rhisiart, wedi'i eni a'i fagu ym Methesda, Arfon, acen ei fro yn dew ar ei dafod o hyd; yr oedd yn dderwen o ddyn, ei freichiau yn dynn yn ei ddillad, llygaid mawr tywyll, mwstas fel handlen beic, a rhyw awgrym o ddireidi yn ei wên bob amser. Daeth i lawr o'r Gogledd i weithio yn y pyllau, nid ar y glo, ond yn gofalu am y gêr, a chafodd swydd arbennig yn Llanharan.

Nid oedd teledu ar gael y pryd hwnnw i danio dychymyg plentyn, ond mewn ardal lofaol a hen gwm fel y Rhondda, nid oedd eisiau'r fath beth chwaith. Nid oedd campau Tom Mix a Hoot Gibson a welid ar bnawn Sadwrn yn y sinema fach gyferbyn â Phwll y Pentre yn ddim i'w cymharu â'r storïau a glywn yn y gegin pan alwai dynion fel Rhisiart Llanharan a Siôn o Leteca — ''Doedd y pyst-Norwy wedi agor yn yr hen gaets fel wmbarel nes 'i bod hi'n methu symud 'rôl mynd yn sownd yn y

Rhisiart o Lanharran.

siafft; felly 'doedd gen i ddim i'w neud, nac oedd, ond llithro dow-dow i lawr y rhaff a rhyddhau'r lymbar cyn iddi fynd yn waeth! Mi sgythres i dipyn ar 'y nwylo a 'mreichia, dest fel dasa'r gath wedi troi arna i — dim mwy!' Ni welwyd dim erioed ar sgrîn Sinema'r Brenin fel yr olygfa honno ar len fy nychymyg o'r dwthwn hwnnw hyd heddiw!

'Gwelais Gomer Jones yn ei arch.' — daw gwên wrth ddarllen hyn, ond buan y diflanna wrth gofio fel y bu. Gomer druan oedd ein hathro yn yr Ysgol Sul, gŵr bychan, wyneb dipyn yn drist, mwstas fel Rhisiart Llanharan, yn byw drws nesaf i hen dŷ Ben Bowen. Tlawd a hen ffasiwn ddigon oedd ei gartref ef a Sara, eistedd bob amser bob ochr i'r tân, y naill a'r llall, yn helpu'i gilydd i wneud mat, bocs a bob math o racsiau wedi eu torri'n barod wrth benelin, a *Seren yr Ysgol Sul* a'r *Heuwr* ar agor ar y ford o flaen Gomer. Cynhwysai'r cyfnodolion hyn lawer o 'ddadleuon', y rhan fwyaf ar themâu dirwestol, rhannau i ddau neu dri o fechgyn gan amlaf — 'Wel, Hywel, a wyt ti wedi penderfynu ymuno â byddin Dirwest ac ymwrthod â diod gadarn?' Dyma'r peth agosaf at ddrama o fewn ein cyrraedd y pryd hwnnw, cyn i ni glywed sôn am Dante i'w ddilyn na Shakespeare i droi i'w fyd, a Gomer Jones oedd y peth tebycaf i gynhyrchydd i ni daro arno — 'Dipyn bach mwy o bwyslais, dal dy law i fyny, a gad i mi weld dipyn o dân yn dy lygaid!' Yr union fath o gyfarwyddyd a'r union fath o eiriau ag yr oeddwn i glywed ymhen blynyddoedd wedyn gan gynhyrchwyr dipyn mwy proffesiynol y radio, y teledu a'r theatr! Eisteddai Gomer Jones yng nghornel ei sedd yn gwrando ar ein perfformiad yn y Cwrdd Chwarter, gwên fawr o fodlonrwydd ar ei wyneb, gan dderbyn yr holl eiriau canmolus ar y diwedd fel plentyn yn awchio melysion, a disgwyl rifiw yr un mor ganmolus gan Trefor Jones, ein gohebydd selog, yn *Seren Cymru* a'r *Rhondda Leader*. Trefor, mab Mrs Jones Tregaron, oedd Agate a Tynan y Cwm yn un!

'Sadwrn, Ionawr 10: Crafu glo trwy'r dydd ar dip y Pentre.' — Sut ar affeth y ddaear y gall hynny olygu dim i neb arall heddiw? Ac eto, tu ôl i'r frawddeg fach boenus, chwyslyd honno y mae holl argyfwng y dydd, gofid mam a thad a thynged yr aelwyd, a'r achos i ni chwilio am orwel newydd a newid holl gwrs yr einioes fwy neu lai dros nos. Cofiaf y dydd yn dda. Codi'n gynnar, codi'n blygeiniol yn union fel pe bai'n ddiwrnod trip yr Ysgol Sul, gwisgo hen ddillad, a brecwesta'n swmpus ar gig moch, ŵy a bara saim, cyn cerdded allan o'r tŷ yn gawr pum troedfedd i grafu sbarion y seidin ar lethr byramidaidd yr hen dip.

'Roedd bywyd yn bur galed drwy'r Cwm; ac i wneud pethau'n waeth gwelaf gofnod sy'n dweud i'r flwyddyn ddechrau'n anobeithiol pan gyhoeddwyd streic. Nid wyf erbyn hyn yn cofio beth oedd y rheswm am y streic, a bwrw fy mod yn gwybod ar y pryd; dim ond un peth y gwn hanner canrif yn ddiweddarach, boed gam neu'n gymwys — yr oedd fy nghydymdeimlad yn llwyr gyda'r glowyr. Mae'r atgof am wynebau'r coliars mor fyw ag erioed, Wil Eynon, Dai Painter, Jac Rees, Tom Sara, Sami Tŷ-cornel, ac eraill, dynion cryf, dynion onest, dynion twymgalon, a'r hen fyd anodd a didrugaredd hwn wedi gormesu pob un ohonynt. Gwelais y dynion hyn yn llenwi'r awyr â'u chwerthin ond gwelais y dynion hyn hefyd yn cau eu dyrnau a chablu'r pwll a'r perchenogion. Clywais ingoedd dirdynnol yn eu lleisiau a gwelais yr Angau digywilydd yn stelcian tu ôl i'w llygaid. Bûm yn eu gwylio mewn carnifal ac mewn angladd, eu llygadu mewn tafarn ac mewn teml. Ac er imi grwydro ar dro yn ddigon pell o'u cynefin nhw, ma'n nhw wedi fy nilyn fel ysbrydion Glangors-fach. Nid oes ddianc rhagddynt. Y mae'r camwedd a'r loes a'r siom a'r anghyfiawnder a ddioddefodd y bobl hyn yn glwyf hyd y dwthwn hwn. Methais â chanu cân na chreu stori heb fod cysgodion y rhain rhywle ar y gorwelion. Eu hatgof a'u hachos nhw yw fy ngwleidyddiaeth. Eu diffuantrwydd a'u hawddgarwch nhw yw fy nghredo. Ac y mae arogleuon yr hen dip lle y bûm yn crafu sbarion glo â'm bysedd yn grwt bach, dwst y glo, saim yr olwynion, chwys y mynydd, wedi aros yn fy ffroenau hyd y dwthwn hwn mor llesmeiriol â phersawrau'r Arabia. A gwae fi'r dydd y try'n chwerw yn fy mhrofiad, ac y bydd cribinio'r llethr ddu am sachaid o lo i gynnal tân yr aelwyd yn angof gennyf! Trwy drugaredd, bydd y golau wedi hen ddiffodd cyn i hynny gael siawns i ddigwydd.

Ond yr oeddwn bellach ymhell 'o'm genedigol fro', ac awelon tyner arfordir Gogledd Cymru yn chwythu arnaf, ac awelon balmaidd oedfa ar ôl oedfa o Gaer i Gaergybi yn ysbrydoli fy llencyndod. Gwelaf imi daro ar bregethwr ifanc, myfyriwr yng Ngholeg Bangor, a oedd o ddiddordeb arbennig i mi fel crwt o'r Pentre, Cwm Rhondda. Sul, Hydref 9, 1932, daeth Mr G. R. M. Lloyd i bregethu i'r Tabernacl, Bae Colwyn. Ni fedraf yn fy myw gofio a fûm yn ddigon powld i fynd ato i siarad, siŵr o fod o gofio y math o greadur oeddwn y pryd hwnnw, ond y cwbl yr wyf wedi ei gofnodi yw fod ei dad, David Lloyd, yn un a godwyd i bregethu ym Moreia, Pentre. Gwelaf fy mod wedi tanlinellu'r holl hanes am David Lloyd a sgrifennodd fy ngweinidog, y diweddar Barch. Robert Griffiths, yn y llyfryn a gyhoeddwyd i ddathlu Jiwbili Moreia.

Meginwyd fflam hiraeth am yr hen Gwm wedyn pan ddaeth y Parchedigion Humphrey Ellis, Caernarfon, a James Nicholas, Llundain, i gadw gŵyl bregethu yn y Tabernacl. Cofiwn yn iawn am Mr Ellis yn newid pulpud â Mr Griffiths Moreia cyn iddo adael Treorci am y Gogledd, a chofiwn yn dda am ei destun, 'Wyliedydd, beth am y nos?' a chofiwn y pryd hwnnw rannau helaeth o'r bregeth, oherwydd bûm yn eu traethu'n huawdl yn y parlwr nes i Mrs Ifans drws nesa ruthro i mewn i'r tŷ fwy nag unwaith cyn wynned â'r galchen yn meddwl 'fod rhywun wedi cael ffit'! O ran hynny, gwelaf fy mod wedi cadw nodiadau o bregeth Mr Ellis y tro hwn eto: Actau, y bennod olaf; yr Eglwys fel llong ar y môr yn wynebu anawsterau a gwyntoedd garw. Mae galw arnom ninnau hefyd i daflu'r 'tacla' dros y bwrdd, a gofalu ein bod yn gosod angorau yn y môr. Beth yw'r angorau hyn? 1. Ffydd yn Nuw. 2. Teyrngarwch i Grist. 3. Ymgysegriad i Grist. 4. Myfyrdod a Gweddi. 'Ond, gofalwch, gyfeillion, nad ydach chi'n taflu'r Crist dros y bwrdd fel un o'r "tacla"!'

Daeth dydd pan gefais y fraint o gyd-bregethu ag ef a'm gwahodd yn un o ddau ganddo i Gaernarfon. Nid yw dweud ei fod yn ŵr annwyl, cyfeillgar, rhadlon a thwymgalon ond ymylon yr hyn a olygai Humphrey Ellis i mi. Ni fedrwn nesáu ato fyth heb deimlo mewn eiliad holl drydan ei bersonoliaeth fawr. Mae'n ddigon gwir mai ei dalentau gloyw fel pregethwr oedd yn fy hudo gyntaf, ond deuthum yn ymwybodol o'r talentau gloywach hynny sy'n gwneud sant ar y ddaear. 'Roedd edrych yn llygaid Humphrey Ellis fel syllu ar galon y goleuni. 'Roedd gwylio'i wefusau wrth iddo bregethu neu sgwrsio yn trosglwyddo rhyw fath o ias o'r goleuni hwnnw. Mae'n debyg mai dyna yw arwyddocâd a mawredd 'ymgnawdoliad' — rhyw agweddau a goludoedd o'r dwyfol yn ein cyffwrdd drwy'r cyfryngau bach mwyaf dynol; pâr o lygaid, pâr o wefusau, llaw.

Yn nyddiau ein bachgendod, Noddfa, Treorci, oedd y Mecca i bawb, a chofiwn fel y tyrrai'r bobl i bob cymanfa ganu, ninnau'n ei hystyried yn uchel fraint i gael gwerthu rhaglenni yn un o'r fyddin o grots wrth y gwaith trwy'r dydd. Nid oedd gweld capel enfawr Noddfa yn orlawn yn eithriad y pryd hwnnw, ac nid yw'n anodd i ni heddiw glywed atsain y canu gwefreiddiol ar y llawr a'r galeri a'r tenoriaid a'r baswyr bythgofiadwy, hen goliars creithiog bron bob un, ar flaenau'u traed yn ymateb i faton y cerddor ifanc o Rosllannerchrugog a ddaethai i'r Cwm, gŵr a barhaodd i fod yn John Hughes Treorci i roi ohonom, er iddo symud i Ddolgellau.

Noddfa, Capel y Bedyddwyr, Treorci.

Anrhegion

Nid oedd dim yn ennyn mwy o ddiddordeb nac yn meddu apêl yn fwy na phregethwyr, pregethau, a phregethu. Gwn pan ddeuai fy mhen-blwydd heibio na chafodd neb ymysg fy nghydnabod newydd yn y ddinas hyd yn oed fawr o drafferth i feddwl beth i'w roi yn bresant i mi.

Gan Mrs Jones, Glanaber, cefais gyfrol o bregethau ei thaid, y diweddar Barchedig Dafydd Thomas, Rhostrehwfa; gan yr hyfwyn Thomas Price, Deheuwr, ac aelod ym Mhenri, Caer, cefais gyfrol o bregethau Dr Abel J. Parry, o lyfrgell ei ewythr, y diweddar Barchedig Dafydd Price, Bethesda, Abertawe; cyfrol o bregethau William Jones, Abergwaun, gan y brawd hoffus Humphrey Ellis; a chlamp o gyfrol hardd, pregethau Dr Parker, gan yr hen Samuel Jones, Halkyn Road — rhestr sy'n taro dyn heddiw falle heb fod yn gasgliad rhy gyffrous i'w gynnig i fachgennyn 16 oed! Y gwir yw yr edrychid ar bob pecyn pan gyrhaeddai fel parsel o aur coeth puredig!

'Roedd cyfrol o bregethau, fel casgenaid o fala codwm, bob amser yn dda neu'n ddrwg. Hanfod pregeth 'dda', beth bynnag arall oedd yn brin, oedd rhethreg, ac yr oedd hynny'n hawlio dipyn o sglein a dychymyg. Os na fu capelwyr Cymru yn rhy hoff o ymarfer dychymyg mewn pensaernïaeth adeilad a defosiwn (ac nid yw'r fath ddamcaniaeth yn gwbl ddi-sail), nid oedd gan y bregeth Gymraeg siawns yn y byd heb ehediadau lliwgar. Faint bynnag o ddiffuantrwydd ac athrawiaeth iachus a gynhwysid, rheidrwydd oedd elfen o berfformiad hefyd. 'Roedd gofynion pendant i bregeth 'dda': gwybodaeth, gwirionedd, eglureb, mae'n siŵr, ond nid oedd modd esgusodi neb a anwybyddai gelfyddyd. Llefarai'r Tad, y Mab, a'r Ysbryd Glân drwy'r pregethwr a'r act o bregethu, ac yr oedd dibrisio 'pregeth' gyfystyr ag wfftio'r Drindod Santaidd. Felly, ni ellid ond cymryd pregethu o ddifri'.

Parhâi'r dyddiau yn y cyfnod hwn yn ddigon ansicr, yn ôl fy nyddiadur — ennill bywoliaeth mewn siop grosar — boddhau meistr — darllen bob nos yng ngolau cannwyll (trwy gwrteisi'r grosar, heb ei ganiatâd) dan orchymyn y tŷ-lojin i arbed trydan — breuddwydio, breuddwydio, breuddwydio a'r breuddwydion i gyd fel adar y gorwel ymhell tu hwnt i gyrraedd! Ordor *Sunny Bank* heb gyrraedd, menyn, siwgr, te, etcetera, etcetera, y foneddiges ar y ffôn yn ffieiddio'n ffroenuchel, heuliau'r greadigaeth i gyd wedi diffodd am ei bod hi — mei-ledi! — heb ei nwyddau, a minnau'n ceisio dod i'r adwy â phwys o hyn a'r llall a phot-jam a thorth o fara-brith yn fy mreichiau a darnau o'r Brynsiencyn, Edward Morgan y Dyffryn, Emrys ap Iwan, a thalpau o 'Iesu o Nasareth', 'Y Dyrfa', a 'Rownd yr Horn' yn fy meddwl fel sêr yn goleuo'r gofod i gyd.

Ffedog prentis hefyd a'i chortyn yn dynn o gylch fy nghanol yn gosb waeth i'm cnawd aflonydd na phe bai rownd fy ngwddw; pwyso'r menyn, pwyso'r siwgr, pwyso'r lard, brwsio'r llawr, taflu'r blawd-llif, sgrwbio'r cowntar, glanhau'r injian torri bacwn, gosod y silffoedd, trefnu'r ffenestri, a thwtio'r sachau fore tan hwyr, gydol dydd gwyn, ddydd ar ôl dydd, a dim ond 'Yn y dechreuad yr oedd y gair', 'Pan hoeliwyd Iesu ar y pren', 'Iesu nid oes terfyn arnat', 'Ym mrig yr hwyr disgynnai'r gwlith i lawr' ar f'ymennydd.

Pa ryfedd felly fod yr oedfa a'r capel yn llawn, mynd ar yr emyn, y saint wrth eu bodd, a'r pregethwr mewn hwyl, nid yn unig yn foddion gras yn yr ystyr grefyddol yn unig, ond yn eli ar friw, solas mewn siom, difyrrwch einioes, a modd i fyw yn union fel y mae caset a gitâr a'r grŵpiau swnllyd yn rhoi gwefr i'r genhedlaeth ifanc o'n cwmpas heddiw.

Nos Sul, Haf 1933, aeth Tecwyn a finnau i Barc Eirias ar ôl yr oedfa, cyngerdd mawreddog Côr Trelawnyd — 'Côr o Sir y Fflint!' meddai 'nhad mewn llythyr, 'Gofala dy fod yn mynd!') 'Roedd popeth a ddeuai o Sir y Fflint yn bur etholedig ac eneiniedig yng ngolwg fy nhad.

David Lloyd.

Sut bynnag, nid y côr a wnaeth yr argraff yn y babell fawr y noson honno, ond y gŵr ifanc golygus a ddaeth i'r llwyfan i ganu gyda'r côr. Safai'n fain a thal a thywyll, pen o wallt du, llygaid byw, gwên o wyleidd-dra mawr yn goleuo'i wyneb, a'r nodau mwyaf hudolus yn dod o'i enau nes i bawb deimlo na wybu'r llais dynol y fath berffeithrwydd erioed o'r blaen. David Lloyd oedd ei enw. Ymhyfrydodd fy nghenhedlaeth i yn ei ddawn a'i ddiddanwch pan oedd y bomiau'n disgyn a'r byd ar dân. Ymserchodd yr ifanc y pryd hwnnw yn y llanc o Drelogan fel y mae'r genhedlaeth bresennol yn gwirioni ar ei harwyr disgo. Ac nid oedd y gân a'r bregeth yn ddieithr i'w gilydd yn y dyddiau hynny; yn wir, perthynai i'r ddwy yr un apêl.

Y pregethwr arall yng ngŵyl bregethu Tabernacl, Bae Colwyn, y tro hwnnw oedd y Parchedig James Nicholas, Castle Street, Llundain. Cofiaf ei weld yn cerdded i mewn i'r capel o ystafell y gweinidog, ac yn gwneud ffordd rydd i weinidog ifanc Tabernacl, Llandudno, fynd o'i flaen i'r sedd fawr. Nid wyf yn berffaith siŵr nad Mr Valentine a ddechreuodd yr oedfa. Daliwn ar bob symudiad ac ystum o eiddo gweinidog Castle Street, oherwydd cefais yr argraff ei fod yn ofalus iawn i ddangos cwrteisi tuag at bawb. 'Roedd pawb i fynd o'i flaen, a gofalai fod gan bawb sedd cyn ei fod ef yn eistedd.

Sylwais fod ei wisg yn bur drwsiadus. Nid oedd yn gwneud cwlwm ar ei dei fel pawb arall, ond yr oedd ganddo fath o fodrwy rhyw fodfedd o dan ei ên fel petái, ac fe'm trawodd fod cwaliti dipyn yn arbennig i'w gôt uchaf. Pan safai i ganu'r emyn, sylwais fod ei lygaid ar gau weithiau wrth iddo fwynhau'r canu, a phe digwyddai iddo ddal llygad rhywun (fel y gwnaeth fwy nag unwaith) deuai gwên i oleuo'i wyneb. Yr oedd y ffaith ei fod yn weinidog yn 'Llundain' yn ddigon i mi gredu ar ei ben ei fod yn bregethwr mawr iawn, dim amheuaeth, bownd o fod, ac yr oedd yn hawdd iawn credu ei fod yn ŵr caredig dros ben. Cadarnhad oedd yr argraff olaf hon o'r hyn a glywsom amdano.

'Roedd perthnasau agos i ni wedi gorfod symud o Gwm

Rhondda i Lundain yn union fel y bu'n rhaid i ni fudo i Gaer. Cafodd teulu'r Gelli, fel y galwem hwynt, waith yn Hayes, Middlesex, fel cannoedd o deuluoedd eraill yng Nghwm Rhondda y pryd hwnnw. Go brin iddynt agor bocs i ymgartrefu yno, cyn i weinidog Castle Street fynd ar eu trywydd, a chefais ganddynt storïau lawer am weinidogaeth ryfeddol y gŵr hwn ym mlynyddoedd adfyd y cymoedd.

Testun Mr Nicholas pan gododd i bregethu ar ôl y Parchedig Humphrey Ellis oedd 'Y mae gennyf eto lawer o bethau i'w dywedyd i chwi', ond, mae'n debyg am fod Mr Ellis wedi fy nghyfareddu'n llwyr, ni fedraf ddweud i'r pregethwr o Lundain adael yr un argraff. Digon gwir, yr oeddwn i'w glywed yn hwyrach ar y daith yn dra effeithiol, ond nid oedd y fodrwy ar ei dei wedi ychwanegu dim at ei faintioli y tro hwn. Cofiaf i weinidog y Tabernacl, J.S., gŵr amharod iawn i ddweud ei farn ar y cyfan, ar ôl swper yn ei gartref un noson toc ar ôl hyn, ymagor dipyn yn fwy nag arfer, a dweud wrthyf, 'Cyrdda Wmff oedden nhw!' Brawddeg a wnaeth i mi benderfynu fy mod yn dechrau gwybod beth oedd beth!

Y bore wedyn, pregethwyd gan Mr Nicholas eto, heb godi testun (o leiaf, nid oes gennyf nodiad am hynny, sy'n beth od), ond y mae'r atgof yn glir iawn ei bod yn oedfa dyner a hudolus, y pregethwr yn dweud ei brofiad yng Nghwm Rhondda a Llundain, fel dadorchuddio rhyw gerfiad celfydd o fywyd dynol, nes i bawb rhwng y muriau ddal ei anadl. Wrth gwrs, yr oedd ganddo brofiadau mawr ac amrywiol tu cefn iddo, a gwelodd ei eglwys yn Llundain yn tyfu i fod yn eglwys fwya'i rhif yn hanes Undeb Bedyddwyr Cymru. 'Roedd yn rhaid bod yno amser diogel cyn cychwyn yr oedfa i gael sedd. Pan benderfynodd Mr Nicholas ymneilltuo, gwahoddwyd un o'r pregethwyr ifanc disgleiriaf yn y pulpud Cymraeg i fod yn olynydd iddo. I'm cyfoedion i, dyna beth oedd cyrraedd y brig fel pregethwr — galwad Walter John i Castle Street!

Wrth gwrs, y mae agwedd arall i lwyddiant rhifyddol Castle Street, Llundain, yn y cyfnod hwn; nid oedd hyn yn bosibl heb waedu llawer o eglwysi Cymru. Oni chlywsom Robert Griffiths yn ffarwelio â theuluoedd Moreia, Pentre, Sul ar ôl

Sul, ac y mae llawer o'r bechgyn a gydoesai â ni yn parhau yng nghyffiniau'r brifddinas hyd y dwthwn hwn, eu teuluoedd yn Saeson, a heb unrhyw dynfa ar ôl i ddychwelyd mwy. Profais yn gynnar mai diwreiddio yw un o'r melltithion ffieiddiaf y mae gwleidyddiaeth San Steffan wedi'u dyfeisio erioed i niweidio cenedl y Cymry. Diolch am y lloches a gafodd aml i lanc o'r Cwm ac aml i groten a aeth yn forwyn at gyfoethogion Muswell Hill, ond cenedl yn ei charpiau a roes gynulleidfa fawr i eglwysi Llundain.

Bûm mewn nifer o gyfarfodydd pregethu yn niwedd 1932; 'doedd dim amser gan fy mhardnar Tecwyn na finnau i lyncu cwpaned o de cyn ei gwadnu hi er mwyn sicrhau sedd, gan fod y capel yn ddieithriad yn orlawn at y drws a'r muriau a'r bobl yn chwys i gyd yn aml. Trwy fy mhardnar, deuthum i gyffyrddiad ag enwad y Wesleaid am y tro cyntaf (nid oedd ond un capel Wesle yn agos atom yn y Cwm, ond Saeson oedd yno, ac felly 'estroniaid' yn fy ngolwg!) ac yr oedd yn brofiad newydd iawn i wrando ar bregethwr Wesle; mwy na hynny, nid gwaith hawdd iawn oedd cydnabod a derbyn ac ildio fod gan y Wesleaid bregethwyr mawr cystal ag un enwad arall, Bedyddwyr *included*! Rhyw filltir a hanner tu allan i dref Bae Colwyn saif pentre bach digon tawel (y pryd hwnnw), Mochdre, ac ar ymyl y ffordd sy'n arwain i Gonwy a Llandudno, mae'r capel bach delaf ar gael ac yn arddel enw sy'r un mor brydferth, Bron-y-nant. 'Rhyw focs-matsys o gapel!' meddai J.S. wrthyf, pan ddwedais wrtho i mi fod yno, yn wên i gyd, ac yn gyndyn gredu (heb ddweud wrthyf ar ei ben, wrth gwrs) fod holl gapelau bychain delfrydol Cymru yng ngwlad Llŷn.

Sut bynnag, gwelais ddigon i orfod cydnabod bod Bron-y-nant yn un o'r addoldai bach hyfrytaf ar gael, y pulpud a'r sedd fawr yn ddisglair gan farnais ac eneiniad, a'r seddau bach mor ddefosiynol â'r addolwyr. Y pregethwyr gwadd oedd y Parchedigion D. M. Griffith, Llanrwst, ac Evan Jones, Rhyl. Eisteddwn ar fy mhen fy hun yn ymyl yr organ, wedi fy ngwasgu'n weddol dynn rhwng dau ffarmwr cawraidd o gyffiniau Ffordd-las — 'roedd fy mhardnar Tecwyn yn y pulpud yn barod i ddechrau'r oedfa a rhyw olwg eiddgar arno fel pe bai'n fodlon i bregethu am awr pe bai gofyn hefyd! Un o ferched Tŷ Capel oedd wrth yr organ. Erbyn hyn ar fy rhawd, gwawriodd arnaf fod gan y pregethwyr Wesleaidd ffordd arbennig o oslefu, gan ddefnyddio llaw a braich i ystumio'n effeithiol, rhyw fath o dechneg pulpudol a oedd yn eu nodweddu *nhw* dest fel nod ar ddafad; a gwyddwn erbyn hyn hefyd, mai Tecwyn Ifans a John Roger Jones oedd y ddau feistr ar hyn o grefft. Un arall oedd gweinidog Rehoboth, Bae Colwyn, y Parchedig Griffith John Owen, gŵr a feddai lais a phersonoliaeth anghyffredin iawn, ac yr oedd ef yn medru gostwng ac estyn a slyrio'i lafariaid yn gyfareddol iawn. Bûm innau'n ymarfer dipyn ar y donyddiaeth yn breifat, ond er i mi sylweddoli bod y gwersi llais a gefais gan Bryniog druan yn y Cwm yn fy ngalluogi i rychwantu'r holl octefau seiniol, gan sicrhau cydweithrediad fy ffroenau a'm corn gwddw a'm hysgyfaint heb straen yn y byd, nid oedd arnaf unrhyw fath o awydd i efelychu'r patrwm Wesleaidd. Sut bynnag, gan eistedd fel dòl bren rhwng y ddau ffarmwr chwyslyd, gwrandawn yn astud ac eiddigeddus ar fy mhardnar Tecwyn yn mynd trwy'i bethau, a sylweddoli ei fod wedi datblygu bellach yn bencampwr ar yr arddull Wesleaidd, rhyw groesiad rhwng Tecwyn Ifans a John Roger Jones, dim ond bod golwg prentis grosar arno ef fel finnau yn glynu mor ddigamsyniol ag arogl y saim yn ein gwallt.

'Roedd y bregeth gyntaf yn seiliedig ar I Ioan 5: 7, ac yn fy nharo'n bur ddiwinyddol ar bwnc y Drindod, maes a oedd yn ddieithrach na'r Wesleaid i mi. Mae'n siŵr fod gan y pregethwr sgets i'w bregeth (nid oedd unrhyw bregethwr o bwys yn mentro allan heb *sgets* y pryd hynnw!), ond nid oes gennyf gofnod o gwbl; mwy na hynny, nid oes gennyf gofnod o frawddeg a ddywedodd, a thybiaf mai'r rheswm am hynny oedd fy mod yn llwyr allan o'm dyfnder — beth bynnag am y pregethwr!

Testun yr ail bregeth oedd Ioan 17: 11 — 'Fel y byddont un, megis ninnau.' Mae digon o drafferth i gael dynion i ddod at ei gilydd. Mwy o drafferth fyth i gael yr hen wledydd stwbyrn 'ma. Ond mae Duw yn medru dod â'r nefoedd a'r ddaear at ei gilydd! A 'does dim *extremes* mwy na hynny ar gael! (Wrth fynd heibio, gystal i mi nodi fy mod wedi sylwi yn yr oedfa hon mor effeithiol oedd defnyddio gair Saesneg weithiau. Gwnaeth yr ail bregethwr ym Mron-y-nant fusnes go fawr o'r *extremes* 'ma, gan wneud i mi o leiaf deimlo ei fod yn air Cymraeg dilys a chlasurol!)

Sut bynnag, pan ddaeth yr oedfa hon i ben, nid oedd y nos ond ar fin dechrau — ac un arbennig iawn ydoedd! Cafodd Tecwyn a minnau ein gwahodd i swper i'r Tŷ Capel ar aelwyd Mr a Mrs Tibbot a'r merched a'u meibion, Elfyn a Berwyn! Bu'n gychwyn cyfeillgarwch a aeth yn un o freintiau mawr bywyd — coffa da amdanyn nhw! Eisteddai'r tad ar ben y bwrdd (bwrdd yn drymlwythog gan oludoedd y wledd, gyda llaw!), ac ar ôl iddo blastro pupur a halen ar ei gig, aeth yn syth at yr oedfa, gan siarad (*ymhyfrydu*, fel Wesle da hefyd!) am y bregeth gyntaf ar y Drindod a dadlau (fe all, er fy mudd *i* fel Baptus, ond ni fedraf fod yn rhy siŵr) nad oedd yr enwadau eraill yn pregethu fel hyn. Bûm yn weddol chwim fy meddwl a pharod fy nhafod erioed, mi dybiaf, a mentrais ateb cyn iddo gael amser i dynnu anadl, 'Diolch i Dduw am hynny!'

Disgynnodd y fath osodiad fel bom ar y cwmni, minnau'n teimlo'n ddigon anesmwyth gan fy mod yn ddieithryn rhonc a Sowthyn yng nghanol Gogleddwyr, ond sylweddolais fod holl urddas pulpud y Bedyddwyr yn cael ei fygwth oni wnawn *i* safiad. Wel, nid ar chwarae bach y mae meibion y Cwm yn ildio, ac yr oeddwn wedi penderfynu mewn eiliad nad oedd fy nhras na'm traddodiad yn cael mynd dan draed llond cegin o Wesleaid, faint bynnag o groeso a danteithion a gynigid i mi; ac felly, mentrais ar ddadl ddiwinyddol fawr ar y Drindod, gan wau brawddegau yn un rheffyn, bathu geiriau nas gwelwyd mewn memrwn na chyfrol na chynt na chwedyn, a nyddu ambell baragraff a pherorasiwn i'w taenu fel niwl y glyn dros y gegin i gyd. Nid oedd gennyf unrhyw syniad o'r hyn a ddywedwn y pryd hwnnw, ac nid oes gennyf hanner can mlynedd yn ddiweddarach; dim ond fy mod yn rhyw led-gredu hyn, os mai'r gwir yw i mi golli'r ddadl, mae'r un mor wir i ddweud na ddaru'r Wesleaid ennill!

'Pry garw yw hwn!' meddai gŵr y tŷ wrth fy mhardnar, ar garreg y drws wrth ffarwelio, 'Mi fydd hwn yn ddiwinydd mawr neu'n ocsiwnîar!' Y broffwydoliaeth ryfeddaf a fu yn fy nghylch erioed! Ar ôl hyn, go brin yr aeth wythnos heibio heb fod Tecwyn a minnau'n mynd i swper at deulu Tŷ Capel Bron-y-nant, Tecwyn yn bwrw am y piano (meddai ddawn ryfedd i chwarae unrhyw dôn yn ôl y gofyn) a minnau'n closio o flaen y tân am ddadl arall gyda gŵr y tŷ. Cawn gyfrol neu gopi o'r *Eurgrawn* bob tro, cyngor i ddarllen Tegla yn ofalus, John Roger a Tecwyn (Ifans) yr un modd, ac wrth edrych yn ôl, sylweddolaf mor ddiwylliedig oedd y gŵr bychan, croesawgar, siriol, dadleugar hwn — a maint fy nyled iddo ef a'i gewri Wesleaidd hefyd!

Dychwelyd

Cefais orchymyn un diwrnod gan fy meistr, Sadrac Ifans, i gymoni dipyn ar y warws; ystyr y gorchymyn hwn mewn gwirionedd oedd ei fod am imi weithio ar fy hanner dydd rhydd. Gan imi gael fy nysgu nad oedd yn weddus imi ddweud 'na' wrth bobl hŷn na mi, derbyniais fy nhynged heb rwgnach (fwy neu lai, beth bynnag); ac ar hyd y prynhawn hwnnw tan yn weddol hwyr y nos, bûm wrthi'n gosod trefn ar bethau, hen focsys, hen lyfrau cownt, hen silffoedd, a thrwch o flawd gwyn y blynyddoedd o'r bacws tu ôl i'r siop dros y cyfan. Cefais fy siarsio gan Sadrac i wneud fy ngwaith yn drylwyr, archiad nad oedd ei angen arnaf, gan fod fy nghempar beth bynnag am fy nhalent yn ddigon i warantu y gwnawn y dasg yn llwyrach na phâr o geffylau yn tynnu'r wedd. Fel 'na'n gywir y bu, ac yn fy nycnwch a'm hymroddiad, ar ganol symud tunelli o hen wair a lanwai un gornel o'r warws, beth a ddaeth i'r golwg o dan y gwair ond dwsinau o hen focsys casglu Barnardo yn llawn o arian. Y mae dweud fy mod wedi fy mharlysu gan syndod yn gynildeb ymadrodd o'r mwyaf.

Ar y funud, daeth llais bachgen o ddrws cefn y bacws — rhywun wedi gadael y drws ar agor! Sadrac siŵr o fod, meddyliais, yn cerdded fel ci hela o gwmpas ei ystad. 'Oes gynnoch chi sbarion?' meddai'r bychan, a dimai'n llosgi yn ei law. Arferid gwerthu pecyn o deisennau a losgwyd neu a wasgwyd am ddimai. 'Dim ar ôl!' meddwn innau, gan fod y lle i gyd ar gau. Ond dyma'r perchennog yn ei ffedog wen yn rhyw hedfan i'r golwg fel aderyn mawr gwyn o'r tu ôl i'r sachau blawd, gan sicrhau'n ffyslyd, 'Oes, oes, 'machgen i!' Gwelais ef yn cymryd ei gyllell a thorri ar hyd ymyl hen dreis haearn hir i grafu llond pecyn a chrafu'r llwydni arnynt ymaith. Wrth gymryd dimai'r plentyn, dywedodd wrthyf, 'Y dimeiau bach sy'n gneud y ffortiwn fawr!'

Bu'n rhaid imi frathu fy nhafod, gymaint y ffieiddiwn yr hyn a wnaed, ac ni fedrwn fod yn suful braidd i ddweud wrth y creadur am yr hyn yr oeddwn wedi'i ddarganfod dan y gwellt. 'Ma'n nhw wedi bod yma ers amser!' meddwn i wrtho, yn ddigon diserch, 'Ydach chi am i mi eu gwacáu a'u gyrru i ffwrdd?'

Gwelais yr hen gonyn penfoel yn ddrwg ei hwyl o'r blaen, ond ffrwydrodd bron allan o'i groen y tro hwn, nes bod ei fochau'n goch fel afalau a'i wythiennau mor blaen â choesau rhiwbob yn ei wddw. Ni fedraf ddweud faint o euogrwydd oedd yn gymysg â'i dymer, dim ond iddo arllwys ar fy mhen yr argae ryfeddaf o enllib a gwawd a damnedigaeth; a chan nad oeddwn yn brin o ddewrder na rhethreg, unwaith y sylweddolwn fy mod yn cael cam, ymwrolais innau i hysbysu'r grosar crintachlyd o'r hyn yr oeddwn wedi hen feddwl amdano, gan gyffelybu ei sioe a'i facws i Gehenna a'r Bastille wedi mynd yn un, a'i sicrhau y gwnawn heb ei gardod gan nad beth a ddeuai ohonof a bod pryfed Annwn eisoes yn ymbaratoi amdano! Yr oedd ar fedr dweud wrthyf fy mod wedi cael y sac, ond cyn iddo gael anadl na nerth i orchfygu ei gywilydd a'i natur ddrwg, yr oeddwn ar y ffordd i'r tŷ lojin. Edrychais ar sêr llonydd y nos, gan wybod fod fy ngyrfa fel grosar wedi dod i ben; ac nid oedd yn edifar gennyf, a dweud y lleiaf.

'Roedd gadael Bae Colwyn yn anodd iawn — ffarwelio â'r hen gyfaill Tecwyn, bechgyn y Tabernacl, teulu Bron-y-nant! 'Roedd y Tabernacl a'r addfwyn J.S. wedi mynd yn rhan ohonof hefyd bellach. Ar ben hyn, digwyddaswn ddod o hyd i siop lyfrau ail-law a'i berchennog wedi dangos hoffter ohonof ac yn cadw llyfrau gwerthfawr ar fy nghyfer am y nesaf peth i ddim. Gyda'r canlyniad, pan ddaeth yr awr imi hel fy mhac a symud yn ôl i Gaer, yr oedd angen cart a cheffyl arnaf i gludo fy llyfrau. Trwy drugaredd, deuthum erbyn hyn i 'nabod yr hen Ffowc, y dyn tacsi a'i stond tu allan i'r stesion, a phan glywodd am fy helynt sicrhaodd fi — 'fel mae'n digwydd, yli!' — fod yn rhaid iddo fynd i Gaer i godi cwsmer — 'mi gei di a dy lyfra ddod hefo mi!' Fel'na y bu — a minnau wedi ceisio dyfalu ar hyd y blynyddoedd pwy oedd y cwsmar hwnnw ynteu ai tosturi calon yr hen Ffowc oedd yn gyfrifol am y daith! Siŵr o fod.

Er nad oedd amgylchiadau yn caniatáu i mi fod yn segur yn hir, deuthum yn fuan iawn i flasu bod gartref unwaith eto. Yr oeddem yn byw bellach mewn tŷ braf tu allan i'r ddinas mewn pentref o'r enw Christleton, lle y bu Ieuan Glan Geirionydd yn giwrad yn ei ddydd, ond dyna'r unig sawr o Gymreictod a brofwn nes y deuai'r Saboth heibio i gwrdd â'n cyd-Gymry yng Nghapel Penri. Mae'n hawdd iawn imi alw'n ôl i gof fel yr aeth fy Mam ati i wneud y parlwr yn hwylus ar fy nghyfer, gosod fy llyfrau yn hen gwpwrdd llyfrau fy nhaid, a rhoi'r hen ddesg fach yn y ffenest imi sgrifennu. Mae'r rhan fwyaf o'r llyfrau hynny gennyf hyd y dwthwn hwn, ac er 'newid aelwyd bob yn eilddydd' fel sipsi Crwys ar dro, cedwais fy ngafael yn dynn yn y llyfrau hyn — *Bywyd Crist* (Farrar), *Bywyd Paul, Bannau Ffydd* (Cernyw), *Gemau Diwinyddol, Cofiant James Nefyn, Cofiant Herber, Darlithiau i Fyfyrwyr* (Spurgeon), *Oraclau Bywiol* (John Williams), *Pregethau* Abel Parry, *Hanes Cymru* (Jenkins), *Caniadau* (Pedrog), a chyfrol drwchus a ddarllenai fel Agatha Christie (gwell o lawer, yn wir), *Gwaith Josephus*!

Fel y dywedais, 'roedd y seiadau ar aelwyd Bron-y-nant wedi deffro fy niddordeb mewn ambell i bwnc diwinyddol, ac nid oeddwn bellach yn betrus i fentro i ddadl pa mor wallus bynnag fy rhesymeg. Bellach, hefyd, yr oedd gennyf ddiddordeb yn yr hyn oedd yn digwydd yn y byd mawr o'm cwmpas, rhyw fath o chwilfrydedd a eiriaswyd pan gefais afael ar gyfaill newydd o'r enw Fred Bridge — neu pan gafodd Fred Bridge afael arnaf i! Wedi dychwelyd i fyw dan wyliadwriaeth ysbrydol W. R. Jones (Post Office), fe'm cefais fy hun yn dilyn cyfarfodydd y *Chester City Mission* unwaith eto, ond sylweddolais yr eiliad y bu i'r canu Sankey a Moody daro ar fy nghlustiau'r tro hwn, nad oedd yr holl awyrgylch a'r ymollwng crefyddol o haleliwia i haleliwia yn gydnaws â'm natur o gwbl. 'Roedd gennyf ormod o barch i'r hen W.R. i ddweud hynny ar ei ben wrtho, ond yr oedd yr holl Seisnigrwydd pentecostalaidd a'r dyrnu undonog ar yr Ail Ddyfodiad erbyn hyn yn straen. Mynnai W.R. Jones imi gydsynio a gwenu, ond teimlwn wrth wneud fy mod yn rhagrithio. A dyna lle y daeth Fred Bridge druan i'r adwy . . .

Gŵr bychan cloff oedd Fred. Wyneb llawn a bochgoch. Hanai o Burslem, un o faestrefi Stoke, ardal y Potteries, creadur bach ffraeth a pheniog, pregethwr cynorthwyol rheolaidd gyda'r Bedyddwyr, a gŵr mor chwim ei feddwl, eang ei ddarllen a huawdl ei dafod nad oedd angen nodyn o 'i flaen byth i bregethu, a'r pregethu hwnnw'n barablu egnïol, llifeiriol am dri chwarter awr (o leiaf) bob cynnig. Yr oedd cyflwr y byd gwleidyddol a symudiadau'r gwleidyddion ar flaenau'i fysedd, Cynghrair y Cenhedloedd yn bwysig iddo ac yn fynych dan ei lach, a chlywais ganddo am Locarno fel math o wahanfur rhwng dyddiau rhyfel a chyfnod o heddwch, ac ef oedd y cyntaf i ddangos imi beth oedd arwyddocâd y ffordd y mynnai'r Almaen arfogi, ac fel yr oedd grym militaraidd yn dychwelyd i fod yn ddeddf a hanfod bywyd Ewropeaidd unwaith eto. Nid oedd ei ddifrifwch yn gwbl ddealladwy imi na'i ddadleuon yn rhy ddiddorol imi ar dro, ond wrth edrych yn ôl a chofio bellach, ni fedraf wneud hynny heb ryfeddu mor gywir oedd proffwydoliaethau Fred, a gweledydd mor ddoeth oedd y gŵr bychan cloff a ofalai am storws Boots yng nghanol dinas Caer dros hanner canrif yn ôl.

Clywswn ddarlith yn festri'r Tabernacl, Bae Colwyn, un nos Iau cyn dychwelyd ar y 'League of Nations' gan y gweinidog, J. S. Jones (o bawb!), felly nid oeddwn yn gwbl anwybodus pan gefais fy hun yng nghwmni Fred. Soniai ef am Manchuria, ac fel yr oedd y fath dalaith o China yn bwysig i Siapan. Tynnai'r map allan i ddangos pa mor agos oedd Rwsia gan sôn fel yr oedd Siapan yn gwrthod yn styfnig unrhyw gynigion yn sawru o Gomiwnistiaeth. Gwyddai Fred am bob symudiad yn yr hanes, gan fynnu (yn gywir hefyd) fod Cynghrair y Cenhedloedd wedi siomi China. Maes o law, yr oedd Siapan i gerdded i mewn a gormesu pobl Manchuria, a thybied oherwydd y fuddugoliaeth rwydd y gellid goresgyn China yr

Fred Bridge a Hanna

un mor rhwydd. Penderfynodd y wlad honno i wrthsefyll, a chafodd Siapan ei hun mewn rhyfel erchyll a oedd yn mynd i barhau am wyth mlynedd ac ymdoddi i fod yn rhan o'r Ail Ryfel Byd.

Yr oedd holl fusnes diarfogi yn y fantol, a'r Almaen bellach yn hawlio yr un telerau â Ffrainc, dadlau mawr yn mynd ymlaen rhwng enwau mawr y dydd — Ramsay MacDonald, Dr Bruning, a M. Tardieu, prifweinidog Ffrainc. Bu'n rhaid i Dr Bruning, canghellor yr Almaen, ildio i von Papen, cyn i Fred Bridge sôn wrthyf am y tro cyntaf erioed am enw newydd a oedd yn mynd i newid holl gwrs hanes, Adolf Hitler!

Ar ôl areithiau hir a huawdl ar gyflwr y byd a rhagolygon yr hil ddynol, edrychai cytganau'r *City Mission* a brwdfrydedd ffwndamentalaidd W. R. Jones druan braidd yn feddal ac annigonol, profiad a'm gadawodd mewn dipyn o gyfyng-gyngor ar y pryd, oherwydd un o'r pethau cyntaf a ddigwyddodd ar ôl imi gyrraedd adref oedd i weinidog Penri, y diweddar Barch. Thomas Morgan (Myllon) alw arnaf. 'Mi 'rydw i am i chi ddod i'r Cwrdd Dosbarth yng Nghoed-llai!'

'I beth, Mr Morgan?' meddwn i, fel pe bawn i ddim yn gwybod.

'Er mwyn i chi ddechrau pregethu, 'machgen i!'

Dechrau pregethu! Mae'n ddigon gwir fod hyn yn dipyn o freuddwyd ac uchelgais, ond yr oedd awelon y *City Mission* efengylaidd a gwyntoedd y byd mawr o'm cwmpas wedi dechrau chwythu ar f'einioes; neu, i ddisgrifio fy sefyllfa mewn ffordd arall, W. R. Jones, y dyn duwiol a'i Feibl agored, yn sibrwd yn un glust a Fred Bridge, dyn duwiol a'i Feibl agored eto, ond esboniad hollol wahanol i bethau, yn sibrwd yn y glust arall. Nid oes fawr o ddiben i fanylu ar y math o amheuon a boenai greadur, hyd yn oed pe bai hynny'n bosibl, oherwydd yr unig beth sy'n aros bellach yw'r hen ymdeimlad gormesol o argyfwng a wasgai ar ein bywyd, fel pe bai pob golau wedi diffodd a phob drws wedi cau arnom yn un ar bymtheg oed. Gwelaf inni fynd i'r Gyfeillach ym Mhenri, Caer, dechrau'r oedfa trwy ddarllen 1 Thesaloniaid 4, pennod yn llawn o'r Ail-ddyfodiad, maes darllen W. R. Jones yn gyson, yn y gobaith y codai Samuel Jones y mater i'w drafod a'i awyru, neu y deuai Humphrey Ellis (Caer) â rhyw oleuni newydd i leddfu cnawd aflonydd. Do, bu trafod ar y bennod, ond dim sôn am hoff bwnc W.R., yr Ailddyfodiad yn hytrach cydiodd Humphrey Ellis yn y frawddeg 'ar gynyddu ohonoch fwyfwy' — cynnydd dwbwl! Dyna'r pryd y gwelais yn glir nad yr un oedd safbwynt pobl y *City Mission* â Bedyddwyr bach selog Penri, Caer; nid oedd ffwndamentaliaeth, diwethafiaeth, a llythyrenolrwydd Saeson y *Mission* yn gydnaws rywsut ag agwedd Cymry Caer, nid yr un llygaid oedd ganddynt, a minnau rhwng y ddwy ochr fel un heb lygaid o gwbl!

Cyrhaeddodd llythyr un bore, llythyr oddi wrth fy hen weinidog, Robert Griffiths, yn fy ngwahodd i bregethu ym Moreia, Pentre; cedwais mewn cysylltiad ag ef wedi gadael y Cwm, a gwyddai ef i ba gyfeiriad yr oeddwn yn hwylio, gan mai ef yn anad neb a fu'n fy nghyfeirio o'r cychwyn. Mynnai i mi ymarfer fy enw bedydd gwreiddiol, Rhydwenfro, enw ar ôl brawd fy nhaid, Thomas Rhydwenfro, a fu'n weinidog yn Seilo, Tredegar, ond yr oedd gennyf ddigon o anawsterau fel Cymro o'r Sowth yng nghanol Saeson Caer heb ychwanegu at fy ngofid trwy ofyn iddynt fy nghyfarch fel Rhydwenfro!

Ta waeth, stori arall yw honno; mentrais dderbyn y gwahoddiad a dychwelais am y tro cyntaf i'm cynefin, cerdded yr hen lwybrau a chwrdd â'r hen wynebau, teimlo naws y Cwm a phrofi rhin awelon mynydd Cadwgan unwaith eto, gan sylweddoli na feddai unrhyw ddinas ar y ddaear ddim tebyg i'w gynnig i mi, er mor fwyn a hael y gwmnïaeth ar lannau'r Dyfrdwy.

Un o'r pethau cyntaf a ddigwyddodd i mi wedi dychwelyd i'r Cwm oedd adnewyddu'r bartneriaeth â hen gyfeillion, ac ar frig y rhestr, wrth gwrs, Gwyn, Defi, a Gwilym, meibion y gweinidog; Gwyn a Defi (yr Athro J. Gwyn Griffiths a'r Athro D. R. Griffiths bellach) gartref ar eu gwyliau o Rydychen. 'Roedd Lewis Valentine, Saunders Lewis a D. J. Williams newydd wneud eu protest ym Mhen-y-berth, a thybiaf i Gwyn a D.R. fynd i'r llys i'w cefnogi yn y treial. Cofiaf fod Defi yn adrodd stori am y tri mewn caffe yn sipian te heb gynnwrf yn y byd, ac un ohonyn nhw (Val?) yn gwneud ffws a ffrindiau o'r gath ar y grisiau a fynnodd ddod i'r cwmni. Sut bynnag, os nad yw stori'r gath yn rhy glir yn fy meddwl erbyn hyn, mae'r hyn a wasgwyd arnaf am arwyddocâd a phwysigrwydd y weithred yn Llŷn wedi aros. Tra oedd y siarad tanbaid yn mynd ymlaen, gosodwyd cerdyn ger fy mron a phensil yn fy llaw, arwyddais heb betruster, a bûm yn genedlaetholwr Cymraeg o ran enw ac argyhoeddiad o'r eiliad honno hyd y dwthwn hwn.

Er y mynnai rhai mai gweithred wleidyddol ydoedd, mae'n orfod arnaf i bwysleisio nad oedd gennyf ar hynny o bryd fawr o gewc am wleidyddiaeth, ar wahân i ryw ymagweddau pendant — diolch i Fred Bridge! — yn seiliedig ar deimlad yn fwy na rheswm; ac yr oedd ymuno â'r mudiad cenedlaethol yn golygu llawer mwy na gwleidyddiaeth i mi (er i hynny ateb rhyw ofyn mawr yn fy neunydd fel un wedi'i ddiwreiddio mor gynnar ar ei rawd), bu'n gyfrwng i roi trefn ar y dylanwadau newydd ar fy mywyd, modd i ddeall a delio â W.R. a'r *City Mission* ar un llaw a Fred a'i Gomiwnyddiaeth Gristnogol ar y llaw arall.

Oherwydd, er maint fy awydd i fod yn bregethwr a mynd i'r weinidogaeth, yr oedd y syniad o rhyw fath o 'bietistiaeth' (fel y tybiwn) a oedd ynghlwm wrth hyn oll yn fy ngwneud yn anesmwyth, os dyna'r gair; nid fy mod yn awchio byw yn afradlon nac afreolus nac yn debyg o wneud hynny, ond yr oedd y syniad o ymddwyn a siarad yn 'dduwiol' yn ôl patrwm *City Mission* yn gwbl anghydnaws â'm natur, er bod gennyf y parch mwyaf tuag at y bobl bach a gwrddwn yno. Wrth ddod yn genedlaetholwr Cymraeg, yr oeddwn yn ymglywed â hanes a thraddodiad y genedl fach y perthynwn iddi, gwelais ystyr newydd i gapel a phregethu a'r weinidogaeth Gristnogol; ac er nad wyf wedi cyflawni'r hyn a ymddiriedwyd i mi yn agos at deilyngdod na bodlonrwydd, glynais wrth hyn o argyhoeddiad hyd yr eiliad hon. Mwy na hynny, deëllais nad rhyw hobi ysgafn neu ddileit i greadur bach emosiynol oedd yr act o farddoni, ond y bu yn weithred Gristnogol o'r cychwyn yng Nghymru, a'i thraddodiad yn hŷn o lawer na Chaucer na Shakespeare y Saeson ('roedd yn rhaid i mi gofio hyn pan welwn Fred Bridge

Rhydwenfro.

druan nesaf, oherwydd nid oedd gan y beirdd ond dipyn o ramantiaeth ansylweddol i'w chynnig yn ei farn ef!); ac ar ben hynny, 'roedd yr olygwedd Gristnogol yn cynnwys wrth raid elfen gref o genedlgarwch. Digon gwir, rhyw wawdio'r Saeson oedd y gore a allai Dafydd ap Gwilym falle, ond yr oedd Cymru yn dwyn canu pendantach, angerddolach o delyn rhywun fel Guto'r Glyn:

> Dwg Forgannwg a Gwynedd,
> Gwna'n un o Gonwy i Nedd.

Yn ôl yng Nghwm Rhondda y deuthum yn gyfarwydd â barddoniaeth Gwenallt hefyd a gweld cydwybod y bardd fel cenedlaetholwr a Christion yn gyfrifol am fyrdwn a phatrwm y gerdd: fel ei soned, 'Y Gwaredwr' —

> Disgynnaist oddi fry o dŷ dy Dad
> A mynd drwy'n byd yng ngharafán y cnawd,
> Heb le i orffwys, gan ustusiaid gwlad,
> Ond cyrrau garw y comin ar dy rawd;
> Ar bren tu faes i'r dref, wrth hongian Duw,
> Drylliwyd y carchar haearn dan yr yw.

'Roedd sigl a rhythmau'r gerdd hon yn fiwsig arbennig i mi, a'i geirfa yr union fynegiant yr hiraethwn amdano; dyma ddweud yr union math o bethau y carwn innau ddweud, a dweud yn yr union fodd y carwn innau fabwysiadu; a dychwelais o Gwm Rhondda fel un wedi'i ddarganfod ei hun am y tro cyntaf.

Y Cenedlaetholwr

Mae'n amlwg i'r holl fusnes 'ma o genedlaetholdeb droi fy mhen, heb os nac oni bai, a chan mai emosiwn yn hytrach na rheswm oedd yn llywodraethu, arweiniodd fi i aml sefyllfa chwithig, os nad anffodus. Yr oeddwn yn ifanc, yn ifanc iawn, o ganlyniad yn barod (rhy barod falle) i ddweud fy marn heb flewyn ar fy nhafod. Nid oeddwn yn ystyried barn rhywun arall na hawl y person hwnnw i fynegi'r farn honno a chan fy mod mewn dinas Seisnig fel Caer yn troi a chylchdroi o hyd ac o hyd ymysg pobl o farn wahanol a gwrthwynebol, ni fedraf ddweud mai fi oedd y creadur mwyaf poblogaidd yn y cylch. 'Roedd gwrthwynebiad eirias yn barhaus yn gwneud dim ond eiriasu'r argyhoeddiad a feddwn i, heb geisio mewn unrhyw fath o gwmni gelu'r argyhoeddiad hwnnw; yn wir, mwya'n y byd y taniai rhywun arall, mwya'n y byd y cynddeiriogwn innau, nes fy mod yn cael f'ystyried ymysg fy nghydnabod agos (bodau bach eithriadol o oddefgar ac amyneddgar, wrth edrych yn ôl heddiw) fel ffanatig, a ffanatig peryglus hefyd.

Peryglus a ffraeth, falle, oherwydd aeth y stêm gwleidyddol newydd 'ma i mewn i'r pregethau a wnawn, a chan nad pa destun a ddewiswn, ni fedrwn yn fy myw osgoi'r un thema a'r un rhagfarnau. 'Roedd capel bychan gan y Bedyddwyr Saesneg yn Westminster Road, cynulleidfa hynod bob amser, eglwys fach efengylaidd iawn ei thôn, ac yr oedd rhai o'r hen frodyr — coffa da amdanyn nhw! — wedi dangos hoffter mawr ohonof am fod gennyf lais dipyn yn gryf a cherddorol, ac nad oedd eisiau i neb brocio'r tân i gynhyrfu f'arabedd ifanc. Fe'm gwahoddwyd fi ganddynt i'w Gŵyl Flynyddol a Diolchgarwch am y Cynhaeaf, ac er na chawn ddimai am fy ngwasanaeth (ni chredai'r eglwys fach hon mewn talu!), ystyriwn hyn yn fraint fawr ac arwydd fy mod eisoes wedi datblygu'n *dipyn* o bregethwr. Daeth fy mhardnar Llewelyn i wrando arnaf yn y *Mission* (Westminster Road), a phan gerddodd y ddau ohonom ymaith ar ôl un o'm hoedfeuon nerthol, dywedodd, 'Mae'n bryd i ti cŵlio lawr, mêt, 'rwyt ti fel tecell!'

Ar ddechrau 1934, gwneuthum bregeth fawr newydd, seiliedig ar hanes Gideon, gŵr â chleddyf noeth yn ei law, ac arllwysais fy holl sêl genedlaethol i mewn i'r bregeth honno ac i'w thraddodi. Bûm yn ddigon digywilydd (ystyriwn ar y pryd mai dewrder arwrol ydoedd ar fy rhan!) i dywallt fy neges fel pair berwedig ar ben y Saeson bach diniwed hyn yn y *Mission* nes bod eu llygaid yn gywir fel llond cawell o adar diniwed a hen gath fawr yn crafangu amdanyn nhw tu allan i'r barrau. Ni feiddiais fod mor wyneb-galed o flaen gwŷr cadarn Capel Penri, Samuel Jones, Pryce Davies a Humphrey Ellis, dim ond unwaith falle pan ofynnwyd i mi siarad yn y gyfeillach ar nos Iau, ac yn erbyn fy ngwaetha fel petái, dechreuais innau lambastio am hawliau cenedl a gorthrwm Saeson, ac yn y blaen. Gwelais Samuel Jones, Halkyn Road, fel pe'n rhewi yn ei sedd, suddodd ei lygaid i bellter ei ben tu ôl i'w sbectol, a sylwais fod ei fwstas wedi mynd yn fach fel brws-dannedd dan ei drwyn — arwydd sicr fy mod wedi'i siocio a'i siomi! Ni chymerodd Pryce Davies ddim sylw, mwy na phe bawn i ddim yn bresennol nac wedi agor fy mhen, dim ond rhwbio'i lygaid a thapio'i wefusau â chefn ei law i fygu'r blinder. Ni fedrai Humphrey Ellis godi ar ei draed yn ddigon buan ar ôl i mi dewi, ei ddwylo'n gweithio fel adar ar hofran, cyn fflachio'i lygaid a llyfu'i wefusau: 'Mi odd 'na hogyn oddwn i'n nabod yng Nghefn Mawr 'na, hogyn reit glên, hogyn reit annwl, aeth yn brentis saer. Dwn i ddim nad odd 'i fam druan wedi gwario dipyn go lew o bres yn talu'r saer am ddysgu crefft i'r hogyn. "Sut mae'r gwaith saer yn dwad mlaen hefo chdi?" meddwn i wrtho un diwrnod. "O, 'dw i ddim yn mynd yn saer rŵan!" medda fo, "'Dw i'n grydd rŵan!" Hynny fu, nes y gwelais i'r hylcyn wedyn. "Sut ma'r crydd yn dod mlaen?" medda fi, reit obeithiol. "O, 'dw i ddim yn goblar rŵan!" medda'r creadur. "Be wyt ti rŵan?" meddwn inna. "Cigydd rŵan!" medda'r gwirion. Wyddoch chi be ydi hwnna heddiw? 'Dydy o ddim yn saer na chrydd na chigydd, ond cadw siop-jips yn Soswallt — a hen jips sâl sy gynno fo hefyd!' Edrychodd ym myw fy llygaid, pwyntio ataf er mwyn i mi a phawb arall ddeall mai ataf *i* yr oedd yn cyfeirio, ac meddai: 'Gorffan *di* fod yn bregethwr gynta, cyn dy fod yn mentro arni fel *politisian*!'

Toc ar ôl hyn, daeth cyfle i fynd yn ôl am gyfnod i'r arfordir, clerc mewn swyddfa yswiriant, a da o beth oedd adnewyddu'r bartneriaeth rhwng Tecwyn a finnau a bechgyn y Tabernacl. Dangosai gweinidog y Tabernacl gryn ddiddordeb ynof, gan fy annog i ddechrau pregethu, a chynnig fy enw i'r eglwys a'r Cwrdd Dosbarth. Cynhaliwyd y Cwrdd Dosbarth arbennig hwnnw yng nghapel Ffordd-las, a bron nad oedd mwy o weinidogion yn bresennol nag o gynrychiolwyr, nid bod y cynrychiolwyr yn brin o gwbl. 'Roedd nifer o hen weinidogion wedi ymgartrefu yn Hen Golwyn, ac yn aelodau yng Nghalfaria — M. F. Wynne, gŵr a ddechreuodd ei yrfa fel gweinidog cynorthwyol yn Hermon, Abergwaun; Evan Williams, Pandy'r Capel, gŵr a edrychai'n weddol sych arnaf ar y cychwyn (dybiais i), ond a newidiodd i gyd pan soniodd J.S. wrth fy nghyflwyno fy mod yn perthyn i Edward James, Nefyn, a'r Dr Waldo James; a J. R. Phillips, a hanai o'r Hendy, Pontarddulais, digon agos i Gwm Rhondda i mi glosio ato ac iddo yntau glosio ataf innau. Daethai gweinidog ifanc newydd i Galfaria o gwmpas yr amser hyn, Gwilym Jones, a thueddaf i gredu mai yn y Cwrdd Dosbarth hwn y clywais ef yn pregethu am y tro cyntaf erioed. Gwn i'r dim beth oedd y bregeth, Dagrau Crist, clasur o bregeth a wnaeth argraff arnaf i a phawb arall, a bu'n felys gennyf gofio'r achlysur gan mai dyma ddechrau cyfeillgarwch na chollodd ei flas hyd y dwthwn hwn.

Ar ôl fy nghyflwyno, gofynnwyd i mi ddweud gair, traethiad a baratowyd bob nod ac atalnod a'i ddysgu ar gof, gan gofio addurno'r datganiad ag ambell frawddeg delynegol a sylw gwladgarol. Do, cefais sawl Amen ac ambell besychiad sych, ond yr hyn sydd wedi aros yw'r atgof am siars yr hen Evan

Williams, Pandy'r Capel, wedi derbyn cais y llywydd i roi gair o gyngor i mi: 'Ma pregethwr falla yn cael ei demtio i roi pob math o syniadau yn ei bregeth ar dro. Rydan ni i gyd fel'na — a 'dw i'n sylwi nad ydach chitha ddim gwahanol i'r rhelyw ohonom ni, 'machgen i! Ond os ydach chi am gael rhyw haen sbesial i'ch pregath, un y bydd dynion yn y'ch 'nabod wrthi falla, fy nghyngor i yw hyn: *pregethwch ddigon o fedydd iddyn nhw*!'

Trefnwyd i mi bregethu ar brawf yn y Tabernacl, Bae Colwyn; Calfaria, Hen Golwyn; ac Abergele. Cofiaf yr oedfa yng Nghalfaria yn glir iawn, y profiad hyfryd o sefyll yn y pulpud i annerch y fath gynulleidfa, a'r naws a'r canu gwefreiddiol; ni fentrais draethu ar y gŵr â'r cleddyf noeth yn ei law, ond dewisais draddodi pregeth newydd sbon, 'Awyddus i weithredoedd da'! 'Roedd rhyw duedd ynof, hyd y gwelaf, i gynhyrchu pregethau newydd yn weddol aml, gan newid fy arddull (os dyna'r gair hefyd!) yn ôl y galw neu'r hwyl neu'r fympwy; hynny yw, dim ond i bregethwr wneud dipyn o argraff arnaf, yr oeddwn dan rhyw orfod mewnol i roi cynnig ar hynny o ddull neu ffurf, peth digon naturiol i laslanc falle na feddai ar hynny o bryd na dull na ffurf o fath yn y byd. Yn ystod f'arhosiad yng Nghaer, digwyddais glywed y diweddar Charles Jones (W) yn pregethu yng nghapel Queen Street. Ei destun oedd 'Er mwyn Iesu', testun byr a bachog, a dyna pam y penderfynais innau chwilio am destun byr a bachog, 'Awyddus i weithredoedd da'; a chan fod Charles Jones yn defnyddio eglurebau aml ac effeithiol, penderfynais innau ddefnyddio eglurebau yr un mor aml ac effeithiol — Mary Slessor, Billy Bray, Charles Davies a'r bwthyn yn Llwynhendy!

Nos Fercher, yr wythnos ddilynol, pregethais ar brawf yn Abergele, a chwrdd am y tro cyntaf â gweinidog Abergele, y Parchedig W. J. Elias Evans, gŵr a fu'n gyfaill hawddgar iawn wedyn. 'Roedd Lias yn llawn hwyl bob amser, wrth ei fodd yn tynnu coes, ond yn medru rhoi gair yn ei bryd weithiau. Clywswn ei fod yn perthyn i'r Parchedig Lewis Valentine, gŵr a oedd i mi yn ddelwedd o bob arwriaeth ac uchelgais, a phenderfynais ar ei ben i roi gwledd i Lias druan a'i bobl trwy draethu ar Gideon ac achub cam Cymru! Cododd y diweddar D. B. Jones, prifathro Abergele, i ddiolch a chanmol yn ddoeth a chynnil ei eiriau, a chododd y gweinidog i wneud yr un peth yr un mor fonheddig. Ond y funud yr oeddem allan trwy'r drws, dyma Lias yn dechrau arnaf a'r winc 'na yn ei lygaid, 'Meddwl mai dod yma ar brawf 'roeddet ti!' Winc arall. ''Roedd hi bron fel lecsiwn!' A chwerthin iachus — fe'i clywaf yn fy nghlustiau'r funud 'ma! — a achubodd fwy nag un (fel finnau) rhag ei gymryd ei hun yn ormod o ddifri'.

Yn Abergele, ymhen amser ar ôl hyn, y cynhaliwyd Cymanfa Dinbych, Fflint a Meirion, a gweinidog y Tabernacl, Bae Colwyn, yn traddodi anerchiad o'r gadair ar 'Y Cartref'. Meddai'r anerchiad hwn holl nodweddion pregeth J.S., symlrwydd brawddegau byr, eglurebau trawiadol, a phennau diymdrech y medrai J.S. wneud i fod yn seiliau cadarn i'w genadwri, a 'gneud hewl ohoni', fel y bydd pobl y Sowth yn dweud. A dyna oedd hanes yr oedfa ryfeddol honno.

Gŵr a ddaeth heibio i bregethu yn y Tabernacl, Bae Colwyn, un Sul ym Medi oedd y Parchedig Edwin Jones, Llanfairfechan. Bu'n weinidog unwaith ar ddechrau'i yrfa yn Sir y Fflint, ac ar eglwys Pen-y-gelli, yr achos a godwyd ac a gynhaliwyd gan y teulu ac a sicrhâi groeso mawr i wibedyn yn gysylltiedig ag ef yn ein cylch teuluol ni. Gŵr bychan ydoedd, digon cnotiog yr olwg, a'i lais yn tueddu i fod tipyn yn ysgafn a chryg, ond yr oedd yn bregethwr sylweddol iawn. Daeth Mrs Jones, a'r mab, Wyn, gydag ef y Sul hwnnw, a chofiaf yn dda am y cyfeillgarwch â'r bachgen llachar hwnnw gydol y Saboth, cyn ffarwelio fin hwyr ar ôl mwynhad byr y fath gwmnïaeth afieithus; ysywaeth, cyfarfu Wyn â damwain angheuol yr wythnos wedyn, ergyd syfrdanodd ardaloedd a llorio'r rhieni. Eto i gyd, mynnodd Edwin Jones gymryd lle ei fab (a oedd ar fin cychwyn fel myfyriwr ym Mangor) a gwnaeth radd yn ei hen ddyddiau.

Dywed fy nyddiadur y digwyddodd damwain gyffelyb i un arall o'm cyfeillion, Tommy Cole, un o fechgyn rhadlon ein dosbarth yn y Tabernacl . . . cofiaf y noson! Nos Sadwrn, diwedd Tachwedd, ydoedd, Huw Pryce a Tommy Cole druan yn seiclo tua Mochdre . . . Sobreiddiodd hyn bawb ohonom. A'r peth nesaf a glywais am Huw Pryce oedd ei fod wedi penderfynu mynd i'r weinidogaeth; ar ben hynny, gallaf ychwanegu heddiw, ei fod wedi concro llawer o anawsterau a chadw'i ysbryd yn felys, gan gyflawni gweinidogaeth oes yn eglwysi'r Bedyddwyr Saesneg.

Abertawe

Oedd, yr oedd digwyddiadau fel hyn yn dwyn tristwch, dirgelwch y fath angau a siom y fath golled tu hwnt i'n dirnadaeth, ond yr oedd pethau eraill yn ein blino hefyd. Aflonyddwch! Yr aflonyddwch o fod yn sownd wrth ddesg bob dydd, llond trol o hen lejars sych i'w llenwi, rhesi o ffigurau diddiwedd i'w cyfrif. Beth ar y ddaear oedd yr ateb i'r fath gaethiwed? Cefais yr ateb un wythnos yn *Seren Cymru* pan hysbysebwyd coleg i baratoi myfyrwyr ar gyfer y weinidogaeth, Coleg Beiblaidd y Porth, a'r diweddar R. B. Jones yn bennaeth. O, yr oedd fy niddordeb yn fawr a'm hawydd yn fwy, ond — onid hwn oedd yr R.B. y soniai W. R. Jones yn dragwyddol amdano? Er fy holl frwdfrydedd cenedlaethol ac artistig, edrychai fel pe bawn wedi fy nhynghedu i fod ynghlwm wrth y garfan Gesicaidd; felly, anfonais am ffurflen, astudiais y cwrs, ond gwyddwn nad o goleg R.B. y deuai'r ymwared i mi. Fel y digwyddai, gwelwyd hysbysebiad arall yn *Seren Cymru*, cychwyn ysgol rhag-baratoi yn Abertawe, Ysgol Ilston, y Parchedig R. S. Rogers yn bennaeth, a T. G. Davies, Pembre, ac S. J. Leeke yn gynorthwywyr. Anfonais yn syth am fanylion, gan gyfri'r dimeiau oedd ar f'elw i weld a oedd gennyf ddigon i fynd ar y trên i Abertawe a thalu am wythnos o lojin. Anfonais lythyrau allan i'r eglwysi gwag yn gofyn am Sul, yn y gobaith y byddai'r eglwysi hyn yn rhuthro am fy ngwasanaeth huawdl a dewinol!

Wel, fe ddaeth ateb buan oddi wrth y Parchedig R. S. Rogers yn fy sicrhau o groeso mawr a phob cymorth pe mentrwn ddod o'r Gogledd i Abertawe yn fyfyriwr yn Ysgol Ilston. Bu'r llythyr cwrtais a chalonogol hwn yn help mawr i mi benderfynu ffarwelio â'r byd yswiriant, anghofio am fy syms a thaflu'r lejars

Y Parchedig S. J. Leeke.

mawr o'r neilltu, a mentro byw ar ddimeiau prin yr hen gadw-mi-gei. 'Does bosib, meddyliais, na fydd eglwysi'r De yn syrthio ar draws ei gilydd i sicrhau fy noniau a'm harabedd efengylaidd? Y gwir plaen oedd, fel y deuthum i sylweddoli yn ddigon buan, nid oedd eglwysi'r De mewn unrhyw fath o frys i wrando arnaf — ddim hyd yn oed am 'fifteen shillings (only)!'

'Dechrau gofidiau yw hyn,' medd y Meistr unwaith — ac ni bu gair mwy priodol na chywirach erioed!

Abertawe amdani! Go brin yr aeth neb i Rydychen na Chaergrawnt â mwy o frwdfrydedd nag oedd gen i yn hwylio am Ysgol Ilston! Cyrraedd Abertawe ar ddiwrnod braf iawn, un o'r dyddiau heulog hynny a ddeuai heibio ystalwm o gwmpas diwedd Medi, y math o dywydd a fwynheid yng Nghymru 'cyn i'r tacla 'na ddechra busnesa hefo'r cymylau!' chwedl fy mam. 'Roedd gen i ar fy elw £10 o fewn ychydig sylltau, £2 am addysg y tymor (gostyniag grasolam fy mod yn dod o bell), £1 am y daith o Gaer i Abertawe (nid ar y trên moethus, ond ar y bws *Black and White*, taith a gymerai ddiwrnod cyfan, profiad nad oedd yn flinder o gwbl, dim ond fy mod wedi cychwyn allan yn llusgo portmanto yn llawnach o lyfrau na dim arall, côt uchaf addas ar gyfer yr Esgimo a'i gynefin, siwt-streip, coler-starts, bowlar, ac wmbarel!).

Yr unig wybodaeth a feddwn am Abertawe oedd enwau capelau'r Bedyddwyr a'u gweinidogion, a bod yr hen gyfaill Bryniog Jones, y creadur a fu yn y rhyfel gyda 'nhad ac a ddychwelodd fel un o'r teulu yng Nghwm Rhondda, y boi lliwgar, bywiog, llygaid glas a welodd bosibiliadau Caruso ynof yn naw oed, yn arweinydd y gân yng Nghapel Gomer. Trefnwyd llety i mi yn yr Uplands, darn o dir nad oedd gennyf syniad yn y byd amdano, ac wrth i'r bws agosáu at Abertawe a mynd yn araf trwy Sgiwen, Llansamlet, Treforus, a Glandŵr, mae'n rhaid i mi addef fod fy nghalon yn dechrau suddo a rhyw hen anesmwythyd a phryder yn dechrau fy mhoeni fel llygod bach yn crafu tu ôl i'r sgyrten. Tybed ai cam gwag oedd hyn?

Mae'r atgof am gerdded i fyny Walters Road yn fy holl regalia pregethwrol ac yn llusgo'r portmanto a oedd bellach fel maen melin o gylch fy ngwddw yn fyw iawn hyd y dwthwn hwn. Sylwais ar un neu ddau yn fy llygadu'n amheus neu chwareus, a minnau'n llygadu'n ôl bob tro yn fwy amheus ond heb fod yn chwareus o gwbl. Na, os oeddwn wedi meddwl am y Sowth yn atgofus rhamantus yng nghanol Seisnigrwydd a dieithrwch dinas Caer, yr oeddwn wedi fy narbwyllo'n llwyr o fewn pum munud ar ôl cyrraedd Abertawe a cherdded Walters Road. Nid Cwm Rhondda oedd y stribed estronol hwn o dref! Ac os yr ofnais fy mod wedi cymryd cam gwag wrth fynd heibio i Sgiwen, yr oeddwn yn berffaith siŵr o hynny erbyn cyrraedd y tŷ lojin. Tŷ mawr, ffroenuchel ydoedd ar gornel stryd, a menyw fawr, ffroenuchel oedd y wraig tŷ a ddaeth i ateb y drws i mi — 'Oh, you is a bit early, but come in, up the stairs, right to the very top!' — fi a'r bowlar a'r portmanto a'r wmbarel!

Meddyliais innau fel llawer llencyn arall, mae'n siŵr, mai gwych o beth oedd dechrau gyrfa mewn atig, ond rhwng muriau myglyd y bandbocs hwn cefais fy sobreiddio i draed fy sane. Wylwn oddi mewn am gegin 'nhad a mam, f'ystafell wely, drws ffrynt yr hen dŷ, gardd fy nhad, Capel Penri a Samuel Jones, Pryce Davies, W. R. Jones a Humphrey Ellis, a the yn y festri fach ar ôl yr Ysgol Sul, a warws ar ôl warws y *Shropshire Union Canal*, a rhyw wynebau bach hoffus oedd yn annwyl yn fy ngolwg y pryd hwnnw. Mynnwn yr eiliad honno pe medrwn, bws neu beidio, siwt-streip a bowlar ac wmbarel a'r portmanto anferth, godi fy mhac a'i heglu'n droednoeth dros y bryniau tywyll niwlog o'r Uplands asbidistraidd yn ôl, ond — 'Mr Williams, if you wants your food, you better come now, join the other gentlemen!'

Casglu fy nhorth a'r te a'r siwgr a'r jam, cyn cychwyn fel pererin ar saffari o'r atig i lawr i'r rŵm ganol, lle yr oedd hanner dwsin o ddynion dierth o gwmpas y bwrdd mawr, a rhyw hen ŵr mewn ffroc-côt a chrafat a rhosyn mawr coch yn llabed ei gôt ar ben y bwrdd, prynwr yn un o siopau mawr y dref — 'Welcome, young man! Where's you come from then?' Pawb yn byw ar ei lywans ei hun oedd hi, darn o gaws gan hwn, afal gan un arall, ŵy wedi berwi gan un arall, dim ond y tebot yn gyffredin. a'r hyn a ddeuai allan o'r pig yn dewach na'r triog ar frechdan 'nhad. Nid oeddwn yn fud, ond yr oedd y dieithrwch wedi fy mharlysu, nes yr oedd yn amhosibl torri bara-menyn na thaenu'r jam, heb sôn am arllwys cwpaned o de allan o'r tebot bolfawr. Faint o weithiau y breuddwydiais pan oeddwn yn gweini tu ôl i gowntar yr hen Sadrac Ifans neu'n gneud syms a llenwi'r lejars yn y swyddfa am y baradwys o fod oddi cartref yn ymbaratoi am gampau mawr y dyfodol, ond y gwir plaen wrth imi dagu yng nghanol dieithriaid y rŵm ganol oedd y rhown i'r byd bellach i fod yn pwyso menyn neu'n ffeilio tunelli o bapuresiwrin. 'Off your food or somethin' is it!' meddai Methwsela tu ôl i'w rosyn coch. 'Better eat now, I'm tellin' you, or you'll 'ave consumption!' Gwenais, cesglais y bara a'r siwgr a'r jam, a dechreuais ddringo'r steiriau aneirif i'r atig unwaith eto. Uplands yw hi hefyd, meddyliais.

Treuliais weddill y noson yn yr ystafell hirgul honno, edrych allan o'r llond llygad o ffenest yn y to ar y dref ddieithr, igam-ogam, heb fedru agor llyfr na sgrifennu na meddwl am ddim, ond ystyried pa mor gibddall ac anghyfrifol y bûm yn mentro allan i'r fath anialwch o dir heb yr adnoddau mewnol nac allanol i wneud y gore ohoni hyd yn oed. Edrychais yn y glàs, edrych yn hir, a wynebais (am y tro cynta falle) y gwir am yr hyn a welwn. Breuddwydiwr oeddwn, mewn byd o freuddwydion yr oeddwn yn byw, byd nad oedd yn wir, a byd nad oeddwn yn rhy siŵr a fynnwn iddo ddod yn wir bellach. Y silffoedd o jam a chorn-bîff a marjarîn, y ffeiliau di-ben-draw o ffigurau a dogfenni yn yr offis siwrin, y bwrdd hir a'r dynion busnes a'r tebot mawr hyll a'r te pygddu — dyma'r pethau reial! Wel, os felly, a fynnwn ddychwelyd heb wastraffu rhagor o arian nac amser, chwilio am waith, ennill cyflog fel fy mrawd, a derbyn bywyd syml a chyson a solet heb hurtwch a phendrondod breuddwyd yn agos ato; os felly, dyma'r amser i benderfynu, bydd y teulu'n deall beth bynnag am bobl eraill, ac ni bydd angen i mi ddringo'r 'Alpau' i'r bocsrwm am noson o gwsg wedyn! Williams, ar dy ffordd!

Y bore wedyn, yr oedd yr haul allan yn estyn croeso i'r fro. Ni thrafferthais i eistedd wrth y bwrdd hir i frecwesta gyda'r dynion busnes yn y rŵm ganol. Ilston amdani! Ysgol newydd, swyddogol enwad y Bedyddwyr i baratoi dynion ifanc breuddwydiol, ymroddedig, dawnus fel fi ar gyfer y pulpud Cymraeg! Yr oeddwn wedi dychmygu ers wythnosau sut ysgol ydoedd, yr ystafelloedd, y desgiau, y llyfrgell, yr ystafell gyffredin, ac ystafelloedd y darlithwyr — onid oeddwn yn bencampwr ar ddychmygion a breuddwydion? Ysywaeth, ni chafodd ysgol newydd a swyddogol enwad y Bedyddwyr hyd y dwthwn hwn adeiladau mor ysblennydd i'r fath bwrpas aruchel ond yn fy nychymyg i, ac yr oedd y siom yn llethol y bore hwnnw pan welais mai un ystafell hyll ddigon, rhywle i gyfeiriad yr atig yn *Pagefield Business College, Shorthand and Office Training, Christina Street,* oedd y gore ar gael ar ein cyfer. Wel, nid am yr olygfa na'r dodrefn y deuthum i Abertawe, mae'n wir, felly . . . gwell bod yn amyneddgar!

Eisteddwn yn yr ystafell ar fy mhen fy hun — wedi cyrraedd cyn bod y gofalwr wedi rhoi'r allwedd yn y drws! Nid oedd llun ar y wal na Beibl na llyfr o fath yn y byd yn y golwg, dim ond hen feinciau mawr cwrs ac anghyffyrddus, desg a chadair ar lwyfan i'r athro, a blacbord fel bwgan brain ar ganol cae. Ar fy llw, ai fel hyn y dechreuodd hen gewri Cymru ar eu gyrfa? Sut yn y byd mawr y gellid disgwyl i greadur meidrol feistroli ieithoedd dieithr, Groeg a Lladin, heb sôn am dipyn o ramadeg Saesneg a Chymraeg, mewn ogof fel hyn? Sut bynnag, yr oedd dipyn o galondid ar y ffordd . . .

Sŵn moto-beic ar yr iard . . . brrrr . . . brrrrrrr!

Traed yn dringo'r steiriau!

Drws yn agor.

'Hylô bachan! Shwd mae te?'

Estynnais fy llaw mor eiddgar ag yr estynnodd Livingstone ei law pan welodd Stanley. Wynebwn ŵr ifanc, ychydig yn hŷn na mi, gwallt pregethwr (pwysig), llais pregethwr (pwysicach fyth), ac mewn eiliad yr oeddwn yn ôl yn awyrgylch fy mreuddwydion, rhamant pregethu, naws yr uchelgais, ac nid oedd yr ystafell ddi-raen yn cyfri dim i mi wedyn.

'Alun 'dw i!'

'O ble?'

'Cwm-twrch!'

Cyflwyno'n hunain i'n gilydd — a chychwyn cyfeillgarwch

sydd wedi para drwy'r blynyddoedd. Yna, wynebau eraill, lleisiau eraill — Howells (Caerffili), Hubert (Mathews), T.R. (Lewis), Glen (Jones), James (Blaenafon), Wyndham (Cummins), Gwynfor (Phillips), Handel (Turner), Ben (Jones), Cliff (Prosser), Tudor (Davies), Haydn (Thomas), Ridley (Williams), Glyndwr (Richards)! Brodyr rhadlon i gyd a phob un wedi rhoi cyfrif hardd ohono'i hunan erbyn hyn, a rhai — coffa da amdanynt! — wedi cyflawni'r ymddiriedaeth ac wedi gorffen y gwaith da!

Drws yn agor!

Distawrwydd!

'Bore da, frodyr!' — cerdd y Parchedig R. S. Rogers at ei ddesg! Nid wyf wedi bod mor agos â hyn ato erioed o'r blaen — gwelaf ei fod wedi'i wisgo mor drwsiadus â phan bregethai yng nghyfarfodydd pregethu Tabernacl, Bae Colwyn! Nid yw'n codi'i olygon o'i bapurau — 'Croeso i Mr Rhydwen Williams — twenti-tŵ, sgwelwch yn dda! Llyfr Genesis eto!' Pesychiad. 'Mae Mr Rhydwen Williams yn barddoni — wel, dyna mae *e*'n galw'r gweithgarwch beth bynnag!' Chwerthin mawr. 'Ond ma Mr Rhydwen Williams yn mynd i gwpla barddoni am sbel 'nawr — *gobeithio*!'

Bûm yn ddigon ffôl i ddweud wrtho yn fy llythyr am fy niddordeb llenyddol, gan gredu'n siŵr y byddai'n rhyw gnesu tuag ataf, oherwydd imi glywed gan J.S. (Bae Colwyn) y bu gweinidog Capel Gomer yn barddoni'n wyllt unwaith, ac iddo ddod yn ail am y goron genedlaethol. Wel, wrth wrando arno'n darlithio ar Lyfr Genesis yn awr — 'Fe osododd Duw Adda ac Efa yng ngardd Eden, ond ni roddodd ffens o gwmpas y lle!' — penderfynais ar ei ben fod y ffynhonnau i gyd wedi sychu, a phan ddaeth i ddarlithio ar y Gymraeg, seiliedig ar ei wers-lyfr ei hun, *Llyfr Gloywi Cymraeg*, ni chymerodd lawer i'm hargyhoeddi o hyn. Ar ôl y bore cyntaf hwn, meddiennid fi gan ryw hen anesmwythyd nad oedd f'arhosiad yn yr academi Fedyddiedig yn mynd i fod yn hir na hapus. Ceisiais ruthro allan trwy'r drws, ond wrth fynd, galwodd yr athro arnaf yn ôl — 'Mr Rhydwen Williams, wy am i chi ddod gartre 'da fi!' Prin yr oedd gennyf anadl i'w ateb. Beth oedd ystyr hyn? 'Doedd dim byd wedi mynd o chwith? Gobeithio!

"Mae Mr Rhydwen Williams yn barddoni . . .'

Wedi cyrraedd y tŷ a chael croeso tyner gan wraig y tŷ, cefais fy nhywys i'r stydi — 'roedd gweld y stydi bob amser yn hyfrydwch mawr! Aeth fy llygaid o gwmpas yr ystafell. Y silffoedd hardd! Desg fawr! Lluniau! 'Steddwch, steddwch!' Eisteddais — yn dal i ddyfalu beth oedd ystyr y cwbl! Aeth Mr Rogers i ddrôr yn ei ddesg, tynnodd allan becyn mewn amlen, tynnu'r papurau allan yn ofalus. 'Dyma 'mhryddest *i* — leicech chi i'w chlywed hi?' Wrth fy modd! 'Y Gweddnewidiad' oedd y testun, pryddest hir a chain, ac eisteddais yn llonydd am dros hanner awr yn gwrando ar y darlleniad. 'Beth amdani, Mr Rhydwen Williams?' Canmol, wrth gwrs. *'Wel, Mr Rhydwen Williams, mae barddoni yn golygu llawer iawn o ymdrech ac amser, mae'n medru hurtio dyn, ac os ydych chi am roi amser i farddoni, mae'r gwersi i gyd yn mynd i ddioddef. Mi fyddwch yn gwastraffu arian! Mwy na hynny, mi fyddwch yn gwastraffu f'amser i a'ch amser chithe cofiwch!'* Cyd-weld, cyd-weld yn ufudd. *'Ond wnewch chi ddim gwrando – dowch i gael dipyn o ginio!'*

Wel, beth wnewch chi o boni-pwll sy'n benderfynol o fynd i'w ffordd ei hun a thynnu'i lwyth ei hun?

Dau o'r gloch yn brydlon, y bechgyn i gyd yn eu seddau, yr athro y prynhawn hwnnw oedd y Parchedig S. J. Leeke. Er nad oedd gennyf ddyfaliad ar y ddaear sut yr oedd f'ymennydd a'm stumog yn mynd i ymgodymu ag *Initia Graeca*, yr oedd trydan yr athro, ei lygaid yn fflachio dros y dosbarth, a'i chwerthin mor iach â'r awelon nwyfus dros y bae tu allan, yn gyfareddol. Gallaf ei glywed yn awr yn mentro arni yn Saesneg uwch copi-bŵc Jâms bach Blaenafon — *'Ana potamon* it iss, see, Mr James, *up the river*, but iff yew won't larrn the preposisions, bach — dere mlân, bachan, try again, don't dant now!' Ei ben hardd, ei wallt graenus, ei wyneb ffeind, ei wên hudol, a'i leferydd sydyn, soniarus — trwy drugaredd, nid oedd y wers gyntaf honno ond cychwyn cyfeillgarwch oes ag un o'r eneidiau mwyaf dethol.

O Ben-bre y deuai'r athro arall, y Parchedig T. George Davies, i'n hebrwng ar lwybrau dyrys Lladin a Hanes. Mawr oedd yr hwyl yn aml, yn enwedig pan fynnai i ambell un ohonom baderu'r berfau, a mentro ar dynnu ambell ddarn yn rhydd bob cymal a gewyn gramadegol. Gwallt du, llygaid siarp, gwên bob amser yn barod ar ymylon ei wefusau, a'r chwerthin mwyaf rhadlon yn ymollwng bob hyn a hyn. Yna, ar ganol adrodd helyntion y Tuduriaid, neu esbonio darn o *De Bello Gallico*, sefyll yn stond am eiliad, cyn dweud, 'Glywsoch chi am y boi 'na yn pregethu rhwle sha Pont-y-pridd . . .?' Ysgolhaig, boneddwr, a'i hiwmor mor oleuedig â'i ddysg!

Yna, ar ôl gwersi'r wythnos, bob bore Gwener, cwrdd gweddi a *sermon-class*! Ydw, yr wyf yn cofio'r pregethau, a phob pregethwr yn bwrw iddi fel pe bai ar lwyfan cymanfa, *Pa fodd y dihangwn ni, os esgeuluswn iachawdwriaeth gymaint?*

(Hubert Mathews), *Adda, pa le yr wyt ti?* (Tudor Davies), *Y Tri Llanc* (Alun Davies) — pregeth a oedd i oleuo senedd Coleg Bangor maes o law a chymell yr Athro Gwili Jenkins i ddweud, 'Hwn yw'r trydydd llanc o'r un teulu i wynebu ffwrn-dân y coleg 'ma!'

Serch hynny, fe all mai dyna brofiad y brodyr eraill hefyd, atgof y cwrdd gweddi hwn yn para mor glir, os nad yn gliriach, na'r *sermon-class*! Mwy na hynny, wrth gofio'r cwrdd-gweddi hwnnw, ystafell yn llawn o bregethwyr ifanc, pob un â'i uchelgais, pob un â'i ddelfryd, mae dyn yn medru sylweddoli holl ystyr ac arwyddocâd y newid chwyldroadol sydd wedi digwydd yn hanes ein heglwysi a'r weinidogaeth. A'r gymanfa stiwdents honno — Hubert Mathews a Cliff Prosser yn rhannu'r anrhydedd yng Nghapel Gomer, Young-Hayden a Herbert Davies o Ysgol y Myrddin yn llenwi Bethania, Grovesend, at y pafin! A dywedaf innau fel y dywedodd donci Chesterton, 'Do, cefais innau f'awr!'

Siomedigaeth

Nid oedd Abertawe o bell ffordd yr hyn a ddisgwyliwn. Yr oedd yn wych fel breuddwyd, ond fel profiad beunyddiol yn ddim ond siomedigaeth. Pam hynny? Yr unig air sy'n dod i mi yw dieithrwch, rhyw oerni a phellter a wnâi bywyd yn gwbl annifyr, a hynny ar waetha'r gwmnïaeth yn Ysgol Ilston. 'Roedd Alun yn dychwelyd i Gwm-twrch, Hubert i Rydaman, Handel Turner i Dre-boeth, pob un o'r bechgyn o'r bron yn prysuro gartref ar ôl y gwersi i glydwch aelwyd, ond nid oedd gennyf i ond dieithrwch tŷ lojin, dieithrwch wynebau'r tŷ lojin, dieithrwch stryd y tŷ lojin, yn fy nisgwyl bob tro. 'Roedd hiraeth arnaf am barlwr fy nghartref, am ardd fy nhad, am darten fala fy mam, ac ni welwn sut ar y ddaear yr oedd yn werth i mi fforffedu'r pethau hyn pa mor arwrol bynnag y weinidogaeth Gristnogol. Clywswn mewn cwrdd cenhadol un noson am rai yn mentro i'r India ac eraill i'r Congo ac eraill i China, Bedyddwyr brwd o Gymry fel finnau, ond y gwir amdani oedd bod holl ramant yr 'alwad' bron wedi ymadael â mi wrth fentro cyn belled ag Abertawe bell, estronol, oer, a cheisio cyd-fyw â phaganiaid di-Gymraeg yr Uplands tywyll.

'Now, look 'ere, Mr Williams,' meddai gwraig esgyrnog y tŷ lojin yn edrych arnaf fel pe bawn wedi torri i mewn i'r tŷ nid rhentu'r atig, 'light do cost, so light got to go out, not on all night to read whatever you do read!'

Un o blant y tywyllwch, meddyliwn, oherwydd ni chyfarfûm â neb yn fy myw a wrthwynebai dipyn o olau i greadur yn hyn o fyd fel hon, gan oedi bob nos nes yr oedd y tŷ yn llawn cysgodion cyn caniatáu i neb roi ei fys ar y swits. Byddai hi a'i theulu yn y gegin gefn yn mwmian yn y twllwch, clymblaid o hen gathod, a byddai'r hen siopwr o lojar yn eistedd yn y rŵm ganol yn straenio i ddarllen y *South Wales Evening Post* mor daer â Sherlock Holmes yn archwilio â chwyddwydr am olion bysedd.

Digwyddais sôn am fy anesmwythyd un bore yn y dosbarth, a chofiaf yn dda i Handel (Turner) ddweud wrthyf, 'Paid â becso, grwt! Mi gaf i air â modryb — fe gei di aros gyda hi!' Ac fe gadwodd ei air gan fy hysbysu y bore wedyn bod lle i mi o'r eiliad honno gyda'r fodryb fendigaid a'i gŵr, Mr a Mrs Watts, Sidney Street, Brynhyfryd. Ni fedrwn fudo yn ddigon buan!

'Why for you are leavin', like?'

'Friends.'

'An' me just done the room up tidy for you.'

'Sorry.'

'No good bein' sorry, is it, just when we do get to know each other.'

'How much?'

'I ought to charge a month's notice by rights.'

'How much, please?'

'Two weeks then.'

'Thanks.'

Ni hedfanodd fy sodlau ar unrhyw bafin yn fy myw fel y dwthwn hwnnw.

Gwraig fechan debyg i mam a'm derbyniai. Gwisgai ffedog lân, sbectol ar ei thrwyn, gwên ar ei hwyneb, a'r Gymraeg fel miwsig ar ei thafod. A phan welais hi'n torri bara menyn, dal y dorth yn ei chesail, a'i chyllell yn torri'n araf a chymen gan chwipio'r menyn goludog yn hael dros bob brechdan iachus, nid oedd un amheuaeth yn fy meddwl i bwy yr oedd hi'n debyg.

'Roedd siop yn rŵm ffrynt y tŷ, siop yn gwerthu dipyn o bopeth, llond cowntar o fara, casgenaid o fenyn, a silffoedd yn llawn o'r danteithion mwyaf dewisol. Cig moch yn hongian o'r seilin, hanner mochyn braf, a sacheidiau mawr yn llenwi hanner arall llawr y siop, sacheidiau o fwyd ieir, sacheidiau o flawd, a sacheidiau o siwgwr yn aros i'w pwyso. Ac yno, yn brysur hyd at ei glustiau, yr oedd gŵr y tŷ, Defi John, dipyn bach o fardd a lot fawr o gerddor, a thalcen ganddo yn arwyddo i bawb ei fod yn abl i wneud llawer mwy na gwerthu india-corn. Oedd, yr oedd yn gryn feistr ar gerddoriaeth, hyfforddai nifer o blant i chwarae'r piano a chanu, gan redeg o'r siop i'r parlwr, yn ôl ac ymlaen, o bedwar tan naw bob nos. Trwy drugaredd, fe'm magwyd i mewn teulu, ac yr oeddwn wedi hen gynefino â darllen yn sŵn siarad pobl eraill, er mai sŵn y piano oedd yn ddiddiwedd yn awr, mor ddiddiwedd â thrombôn Edgar drws nesa yn yr hen gartref yng Nghwm Rhondda gynt.

Nid oeddwn yn rhy siŵr fod Defi John yn gymaint o awdurdod ag yr honnai fel bardd chwaith, er ei fod yn medru adrodd penillion ac englynion ribidirês mor rhugl ag ocsiwniâr yn galw prisiau. Ar ôl bod gydag ef a'i briod am wythnos, fy nerbyn fel mab erbyn hyn, swpera bob nos wrth y bwrdd, mynnodd Defi John archwilio fy mhen am dolciau. 'Wi wedi gneud astudiaeth, you see, o *phrenology*, a'r funud weles i chi'n dod trw'r drws, fe wyddwn bod 'da chi gwpwl o lwmpe diddorol — dowch weld nawr!'

Mae'n rhaid i mi gyfaddef nad oeddwn yn rhy hoff o'r syniad, a'm ffydd yn *phrenology* Defi John yn llai na'm cred yn ei farddoniaeth, ond ildiais fy mhenglog i'w ddwylo mor anochel ag y rhown fy mhen i mam yn fy mhlentyndod i fynd trwy fy ngwallt â chrib mân. 'Fel own i'n dishgwl! Ma 'da chi dri lwmp da yn y cefen — 'rych chi'n mynd i fod yn fardd! Bardd, wetwn i. Dim ond i chi ofalu i bido dablan gyta *philosophy* byth — fe fyddwch yn siŵr o foddi wetyn! Does dim *philosophical lump* gyta chi o gwbwl. Piti mawr am hynny, cofiwch.' Tynnodd ei sbectol a glymid i'w glust dde â chortyn. 'Ma'r lwmpe i gyd 'da fi — *poetry, philosophy, music!*' Gollyngodd ei afael yn fy mhen a chym'rodd bapur gan sgrifennu fel mellten — 'Sht! Pidwch distyrbo! Mae'n dod — mae'n dod!' Ei wraig yn dal i dorri bara menyn, ond yn gwenu arnaf, gan ddweud, 'Fel'na ma fe o hyd — *inspiration*, chi'n gweld!' Llygadai Defi John fi fel un newydd gael gweledigaeth, dal y papur mor dynn â'r dengair deddf, a dweud, 'Newydd neud englyn i chi!' Darllenodd ei gyfarchiad yn ddramatig —

'Nac aed rhwd ar rawd Rydwen — ond gloywed
ei fin â'r nefol heulwen . . .'

Nid wyf yn cofio'r cwpled cywydd, dim ond i mi gael fy argyhoeddi wedyn, faint bynnag o gerddor oedd Defi John, yr oedd yn eitha dyffar fel bardd pe credai fod y rwts a ddarllenasai i mi yn englyn! Nid oedd un amheuaeth fod Defi John yn gwbl siŵr iddo gyfansoddi clasur serch hynny, rhyw olwg o ryfeddod yn ei lygaid yn awgrymu na fyddai'n bosibl iddo greu dim llai na chlasur, ac mai uchel-fraint fy mywyd oedd i'w athrylith ddewis fy nghyfarch — faint o lanciau yn y Gymru oedd ohoni a gawsai'r fath anrhydedd? Ar ben hynny, onid oeddwn wedi cael y fantais fawr o'i archwiliad phrenologaidd, ac iddo fy rhybuddio'n barod fy mod yn mynd i fod yn fardd. Nid bardd o'r un maintioli ac athrylith ag ef fe all, ond bardd yr un modd a'm rhesymol wasanaeth oedd ymddwyn yn gwbl ddyledus a gwylaidd am gael fy ystyried yn fardd o gwbl. Ac fe sylweddolais, nid fy mod yn debyg o chwerthin na gwawdio na dilorni — onid oedd fy swper yn dibynnu ar hynny? — y gŵr bach gwybodus hwn, yr oedd Defi John yn gwbl o ddifrif; yn fy nghymryd *i* o ddifrif a, mwy na hynny, yn ei gymryd ei hun yn dyngedfennol o ddifrif.

Cefais fwy na'm haeddiant o garedigrwydd gan yr hen bâr hoffus. Ni fedrwn yn fy myw â pheidio meddwl am Thomas a Barbara Bartley; yr oedd rhyw dduwioldeb naturiol yn perthyn iddynt, heb i hynny fod yn arall-fydolrwydd sychlyd a syrffedlyd. Bid siŵr, 'roedd gan Defi John dipyn mwy yn ei ben nag yr ymhonnodd Thomas Bartley erioed, ond nid achubwyd ef trwy hynny rhag coleddu rhai o'r syniadau mwyaf anhygoel am Dduw a'r saint a'r nefoedd. Nid oedd Lucy Watts mor anllythrennog o bell ffordd â Barbara druan, ond yr oedd ei sêl dros y genhadaeth dramor yn peri iddi fynwesu ambell nosiwn na fyddai Barbara fyth dragwyddol mor naïf a'i lyncu.

Ar ganol y bwrdd bwyd, yng nghanol y jam a'r bara menyn a'r holl ddanteithion, cedwid bocs o addewidion — bocs bach yn llawn o bapurau bach wedi eu rholio ac adnod ar bob un! Ac ar ddiwedd ein pryd bwyd, estynnid y bocs i'r tri ohonom gael adnod am y nos, a pha adnod bynnag a ddeuai i'r lan, dyna'r neges oddi wrth Dduw i ni. 'He will keep thee in perfect peace whose mind is staid on Him.' — Lucy yn taeru ar ôl i mi ddarllen fy adnod, 'Ma Duw yn gwbod bod 'da chi egsam fory! A ma fe'n gweud wrthych nawr, Pidwch â becso! Mi wnaf i 'ch helpu i baso'r Greek a'r Latin! *Credwch!* Dyna'r cwbwl sydd isie!'

Rhwng Lucy Watts, S. J. Leeke, a rhagluniaeth fawr y nef, llwyddais i achub fy wyneb o leiaf yn yr arholiad hwnnw, a dychwelais o Abertawe i Gaer yn dipyn mwy bodlon fy myd na phan gyrhaeddais dref Gomer. Ond nid cyn i mi ennyn gwg y ddau a fu mor dirion wrthyf, a hynny'n gwbl ddiniwed ac anfwriadol . . .

Ar un o'r muriau gartref, a hynny oddi ar y dydd cyntaf y medraf gofio, yr oedd darlun mawr o genhadon hedd, gweinidogion huawdl ac enwog y Bedyddwyr, ac oriel o weinidogion yr Annibynwyr yr un modd ar y wal arall. Yr oedd un wyneb wedi fy mesmereiddio o'm dyddiau tyneraf, y pen hardd, y gwallt rhamantus, cawr o bregethwr bob modfedd, neb llai na'r diweddar Hermas Evans. Gan fy mod yn lletya yn ei ymyl yn awr, minnau'n digwydd bod heb gyhoeddiad, fel y digwyddwn fod y rhan fwyaf o'r Suliau y pryd hwnnw, penderfynais un bore Sul fynd i wrando ar yr Hermas gawr yn pregethu.

Gadawsai Cwmbwrla erbyn hyn, codasai achos newydd yn Manselton, ei gefnogwyr ar ôl helyntion Libanus yn ffyddlon o hyd yn y capel newydd; ac er nad oedd y capel newydd hwn mor fawr â'r hen Libanus, yr oedd digon o olion Hermas o gwmpas, a'r pulpud yn deilwng urddasol ohono.

Daeth trwy'r drws o'r festri gan ddringo'r pulpud yn araf a defosiynol, gŵr tal a chawraidd, ei wallt yn ariannaidd erbyn hyn, ond yr un wyneb nobl yn gwenu ar y gynulleidfa â phâr o lygaid seraffaidd. Fe'm hoeliwyd i i'r sedd. Teimlwn fy mod yn edrych ar greadur o arall fyd. Yr oedd fy holl ramantau am y pulpud wedi eu hymgnawdoli yn y gŵr cyfareddol hwn.

Mae'n rhaid i mi fod yn berffaith onest, pan ddaeth Hermas druan i gymryd y rhannau arweiniol, nid oedd y darlleniad na'r weddi yn cynnal fy syniad arwrol ohono, a phan ddaeth i godi'i destun a phregethu — bobol bach, yr oeddwn yn methu credu fy nghlustiau! Pregethai ar ddameg yr heuwr, rhagymadrodd digon cyffredin, tri phen wedi eu saernïo'n ofalus, ond ar ôl hynny ni cheisiodd ond rhyw glebran ar ei gyfer a bu'n ad-libio am hydoedd ar y grefft o arddio gan dynnu eglureb aneffeithiol ar yr hyn a elwir yn y De yn 'shibwns'. Shibwns oedd hi hefyd, meddyliais!

Ceisiais gerdded allan o'r capel yn dawel a chyflym, ond cyn imi gyrraedd y drws, clywais lais yn fy ngalw, 'Ddyn ifanc, 'rhoswch!' A gwelais yr hen gawr yn cerdded yn benderfynol i'm cyfeiriad, ei lygaid tanllyd dan yr aeliau trwchus yn pefrio arnaf, a'i wên fawr yn goleuo'i wyneb hardd wrth iddo estyn am fy llaw.

'Shwd ŷch chi, 'machgen i?'

'Da iawn, diolch,' dywedais, wedi anghofio'r bregeth dila yn barod, ac yn ddigon nerfus wrth gael fy nghyfarch gan y gŵr yr oedd ei lun hudol wedi bod ar fur parlwr mam ers cyn cof.

'Beth yw'ch enw?'

Dywedais wrtho.

'Beth ŷch chi'n gneud yn Abertawe?'

Dywedais hynny wrtho hefyd.

'O, pregethwr ŷch chi felly!' A chofiaf iddo roi ei fraich gref am fy ysgwydd, ac ar ôl deall mai creadur bach oddi cartref oeddwn yn y dref, a neb o eglwysi'r cylch yn rhy awyddus i gael fy ngwasanaeth oddi ar imi ymgartrefu yn eu plith, dywedodd, 'Der sha thre' da fi, 'machan i! Fe gei di dicyn bach o gino 'da fi, ac fe gei di dalu amdano trwy bregethu yn lle Hermas heno.'

Do, treuliais ddiwrnod bythgofiadwy yn ei gwmni, derbyn o haelioni ei gartref, cael y fraint o eistedd yn ei stydi a gweld ei lyfrau a'i luniau, lluniau mawr hardd ohono yn ei ogoniant gynt, ac ar ddiwedd y dydd wedi i mi fynd i'w bulpud ac yntau yn y sedd fawr yn porthi, rhoddodd bunt yn fy nwrn — gwell nag unrhyw 'supply' yn eglwysi mawr Abertawe!

Pan ddychwelais at Defi John a Lucy Watts, gwên fawr ar fy wyneb ar ôl Saboth wrth fy modd, a dweud wrthynt fy mod wedi cael cwmni Hermas a'r fraint o fynd i'w bulpud, er mawr ryfeddod i mi nid oedd yr hen bâr yn dangos unrhyw lawenydd. I'r gwrthwyneb, gwyddwn wrth eu distawrwydd fy mod wedi troseddu i raddau, gan na fu fawr o Gymraeg rhyngddynt a

Hermas ar hyd y blynyddoedd. Teimlwn yn drist iawn oherwydd hynny, heb imi ar y pryd feddu'r syniad lleiaf am y rheswm, ac nid oedd awydd o gwbl arnaf i wybod y rheswm chwaith. Yr oeddwn yn gwbl barod i gredu fod Defi John Watts a'i briod yn bobl ardderchog, halen y ddaear, wedi gwneud bywyd yn Abertawe yn oddefol ac yn bosibl i mi trwy eu haelioni, ond ar yr un pryd, yr oeddwn yr un mor barod i gredu fod Hermas Evans yn un o foneddigion hawddgaraf y Deyrnas, os nad oedd yn ei henaint yn gymaint o bregethwr ag y disgwyliwn iddo fod, fe a'i shibwns!

A phan ffarweliais â Lucy a Defi John yn Sidney Street, Hermas fawr ym Manselton, Wiliam Palmer a'i briod a'r teulu caredig yn Hopkin Street, yr oedd syniad gennyf yn fy mhen — y tolciau a ddarganfu Defi John a'i phrenoleg, mae'n siŵr! — fod fy ngyrfa fel stiwdent yn Ysgol Ilston wedi dod i ben.

John Powell Griffiths

'Roeddwn wedi clywed pan oeddwn yn gwasanaethu Sadrac Ifans fel cyw grosar ym Mae Colwyn fod 'na ŵr tua Rhosllannerchrugog yn paratoi dynion ifanc ar gyfer coleg ac yn gwneud gwyrthiau. Nid wyf yn siŵr pwy a soniodd amdano gyntaf, os nad y ddwy Miss Parry a gadwai siop fach ar gornel Park Road, y ddwy yn aelodau yn y Tabernacl, Bae Colwyn, addoli'r gweinidog, J.S., fel finnau, ac yn 'nabod y pregethwyr i gyd. 'Roedd y siop fach ar gornel Park Road yn dipyn o hafan i mi y pryd hwnnw, caredigrwydd y ddwy chwaer yn anhygoel, a pha mor ddiflas bynnag fy einioes dan lywodraeth yr hen Sadrac, yr oedd bob amser wên a phaned yno'n fy nisgwyl i godi fy nghalon. Gwerthfawrogwn hynny gan fy mod y pryd hwnnw, heb ddatgelu hynny i neb, yn agored i'r pyliau mwyaf llethol o iselder ysbryd, pan nad oedd y ffurfafen yn ddim ond gorymdaith o gymylau duon, wyneb fy meistr yn fwy cilwgus na'r cymylau, a rhyw hen ymdeimlad yn fy hawntio beunydd mai un bychan dan anfanteision lawer oeddwn a'r byd newydd a'm hamgylchynai yn gynddeiriog yn fy erbyn. Byddaf yn meddwl ar dro nad oedd yr hen Sadrac mor ddrwg falle, hen Wesle cul, druan, wedi meddwi ar bres a chymanfa ganu falle, ond ni fedraf anghofio hyd y dwthwn hwn mor ddidostur oedd yr hen dduwiolyn yn lordio ar fy llencyndod ac yn fy nefnyddio i gyflawni rhai o'r jobsys isaf a roddwyd i esgyrn dynol i'w cyflawni erioed. Plygai fy asgwrn cefn fel y fedwen dan ambell lwyth a'm llygaid yn llosgi gan ludded wrth orfod aros ar ôl i sgrwbio'r llawr a thwtio'r warws a glanhau'r injian facwn a gosod y silffoedd yn drefnus ar gyfer drannoeth. Os cafodd marsiandwr werth ei bymtheg swllt erioed, Sadrac oedd hwnnw! A dyna pam yr oedd y ddwy chwaer a'r siop fach ar gornel Park Road mor annwyl yn fy ngolwg. Lloches ydoedd.

John Powell Griffiths.

A thybiaf mai yno y clywais gyntaf erioed am y Parchedig John Powell Griffiths a'i ysgol yn y Rhos. Gwn i mi sgrifennu at y gŵr a holi am delerau addysg gydag ef, a chefais lythyr caredig yn ôl yn awgrymu mai'r peth gorau oedd i mi ymweld ag ef pan ddigwyddwn fod yng Nghaer gyda'm rhieni y tro nesaf. Bu hynny fis union wedyn. Cofiaf ddal y bws ar waelod Delamere Street yng Nghaer, ac er fy mod yn dotio ar bensaernïaeth yr hen dai a'r hen adeiladau yn y rhan honno o'r ddinas, ffenestr a thafarn a tho yn perthyn i hen, hen fyd, nid oedd gennyf lygad i ddim y dwthwn hwn ond bws gwyrdd gwdihŵaidd Crosville a'r enw RHOS ar ei dalcen.

Sylwais ar hen ŵr penwyn yn y ciw, dillad pregethwr, het pregethwr, a choler gron, ac yr oedd yn gwbl naturiol i mi wneud yn siŵr fy mod yn eistedd nesaf ato. Gŵr bychan ydoedd a chlamp o fwstas gwyn dan ei drwyn fel dolen i ornament. Rhoddodd ei fag ar y rac, gosod ei het yn daclus ar y bag, cyn cymryd allan ei getyn anferth a thanio nes bod hanner y bws yn fwg i gyd. Llwyddais heb ymwthio i gychwyn sgwrs ag ef, cael ar ddeall mai gweinidog Presbyteraidd ydoedd, Cymro wedi gwasanaethu'r Saeson ar hyd ei oes, R. R. Williams wrth ei enw, yr un enw yn union â mi — gwnaeth hyn argraff fawr! Eto i gyd, y sgwrs oedd bwysicaf, ei ffordd o wneud pregeth, ei destun y Sul nesaf, y llyfrau a ddarllenai, ac yn y blaen ac yn y blaen; ysywaeth, yr oedd sgwrs o unrhyw fath yn gwbl amhosibl, gan fod y seraff siriol yn smocio'r dybaco ffieiddiaf a fu mewn pib erioed ac yn chwythu'r gymysgedd warthus yn nifylau anferth dros fy mhen nes yr oedd fy ffroenau yn anadlu siweri o'r sothach cyn eu hebrwng i barlyrau isaf fy mol. Erbyn i mi gyrraedd y Rhos, yr oedd fy wyneb yn wynnach na gwallt y Presbyteriad parchus a gyd-deithiodd â mi.

A chofiaf gerdded wedyn i fyny Allt y Gwter, troedio'r daith hir i fyny i bentre'r Rhos am y tro cyntaf, a chlywed am y tro cyntaf acenion rhyfedd y fro yn canu ar dafodau'r pentrefwyr, tafodiaith na lwyddais yn fy myw i'w meistroli er imi gynnig dro ar ôl tro a threulio blynyddoedd yn sŵn y brodorion yn cega trwy fywyd a hyd yn oed yn darlithio a phregethu, y nodau a glywais ganwaith yn sgwrs a chwerthin John ac Arwel

(Hughes), Trefor (Owen) a Brynmor (Davies), Tom Elis (Jones) a Herbert (Roberts), Elfed (Davies) a Robert (Davies), Lewis (Ellis) a Gwilym (Bowyer), hogiau'r Rhos, y credai'r hen gyfaill Joseff Miles (Bethania) eu bod yn rhywogaeth uwchraddol ymysg meibion dynion. 'Paid â gwrando ar shwd ddwli!' meddai T. H. (Prosser), un o fois yr Hendy, a'i athroniaeth mor gyfoethog â'i hiwmor, 'Ma Joseff 'ma yn becso na chadd Iesu Grist ei eni yn y Rhos — yr unig fai ar Gristnogaeth, medde fe!'

Curo wrth ddrws Preswylfa, Osborne Street — cip ar y Capel Mawr wrth basio a gweld enw Dr Wynn Davies tu allan! Gŵr ifanc o Fôn yn ateb y drws a'm tywys i'r parlwr — 'Owen Elis Roberts 'dw i!' — cyn fy nghyflwyno i'r athro, gŵr bychan swil, gwallt gwyn fel brws ar ei ben, llygaid gwyllt, a siwt pregethwr, coler a thei pregethwr, John Powell Griffiths, a myfyriwr ifanc arall, gŵr arall o Fôn, swil ond myfyrgar yr olwg, Geraint Owen. 'All right, 'machan i, we mustn't disturb these crots with their Greek! Carry on, bois bach — do your best now — I'll go to the gegin to have a talk with this young man! An' if *he* won't talk to me, I'll have a chat with Jimmy the dog — he *must* meet Jimmy, mustn't he, boys?' — rhyfeddais i gael y dyn bychan yn siarad gymaint o Saesneg, a sylwais mewn eiliad nad oedd un awgrym o dafodiaith y Rhos ar ei leferydd, a phan siaradai dipyn o Gymraeg, Cymraeg y De oedd ganddo. 'Crots bach' oedd y bechgyn nid 'hogiau', 'shwd' oedd y gair bob tro nid 'sut', annog y stiwdents i 'bido' gwastraffu a wnâi, nid 'peidio'; felly, yr oedd hynny'n gymeradwyaeth fawr cyn i mi dorri gair â'r gŵr o gwbl.

Yn y gegin, un bob ochr i'r tân, a'r hen gi ar y mat rhyngom, cefais fy holi'n fanwl am stad fy addysg, yn enwedig cyflwr hynny o Roeg a feddwn, ac yr oedd gennyf syniad nad oedd y Gamaliel bach gwybodus hwn yn meddwl llawer o'm posibil-iadau, ar hynny o bryd, o leiaf. 'I think you better wait a bit till I get Owen Ellis and Geraint off my hands,' meddai. 'The exam is comin' up before long, only four places I'm told, but — my boys will fly in!'

Felly y bu.

Dyna pam y mentrais i Abertawe. Aflonyddwch, nid oedd siop grosar yn deilwng o'm talentau, uchelgais yn dân yn fy ngwythiennau, mwy o wres nag o synnwyr yn fy mhen, yr oedd yn rhaid hedfan yn entrychion fy mreuddwydion cyn magu adenydd! Sut bynnag, yr oedd y tŷ lojin yn yr Uplands wedi fy sobri, y wlad bell wedi fy siomi fel y mab afradlon hwnnw, a gwyddwn yn ddigon da os oedd unrhyw fath o obaith i fwrw dipyn o addysg i mewn i'm deunydd, dewin bach y Rhos oedd yr unig un a fedrai wneud hynny. Penderfynais mai gwell oedd aros am gyfle i fynd ato na dychwelyd i Abertawe a Defi John a'i phrenoleg.

Fel y digwyddodd, pwy a ddaeth i bregethu i'n capel ni ond John Powell Griffiths, a chefais ar ddeall ei fod i aros gyda'm rhieni. Sul dipyn yn ystormus ydoedd yn niwedd Rhagfyr. Aeth fy nhad yn gynnar i ofalu fod y capel yn gynnes. Paratôdd fy mam fflasg o goffi ac aeth fy nhad i hebrwng y pregethwr o'r bws a'i gynhesu yn yr ystafell fach â diod a bisgedyn cyn yr oedfa. Bu hyn yn drefniant am flynyddoedd.

Daeth y bobl ynghyd. John Hughes a 'nhad yn y sedd fawr, un ar y chwith ac un ar y dde, dau ddiacon gyda'r tawelaf a'r mwyneiddiaf a fu erioed, ond eu llygaid yn pefrio bob yn ail fel pe bai'r pregethwr — gan nad pwy ydoedd! — yn taflu perlau atom. Cofiaf imi synnu fod gan y gŵr bychan o'r Rhos lais mor gryf. Cawn yr argraff ei fod yn strejo dipyn ar ei ysgwyddau a'i ysgyfaint i argraffu arnom mor gryf oedd ei lais. Darlleniad gofalus a gweddi ddiffuant. Yna, wedi canu emyn, codi testun yn dra awdurdodol, goslefau grymus a wnâi argraff fawr ar John Hughes a 'nhad, a bwrw iddi i bregethu fel cawr cyhyrog, brawddegau caboledig, treiddgar, llawn gwybodaeth, ac awgrym o farddoniaeth hwnt ac yma, troi tudalen ar ôl tudalen o'i nodiadau, ond y neges ar ei gof yn ddigon diogel. Bobl bach, nid oedd Penri wedi clywed dim mwy nerthol na hyn oddi ar y dydd y daeth Jubilee Young heibio! Gwaetha'r modd, wrth ymdaflu i'w berorasiwn olaf, ei floedd yn chwilfriwio yn erbyn muriau'r capel hardd, torrodd ei lais yn yfflon fel plât-tseina. Gwelais geg y proffwyd yn agored led y pen i roi bloedd ond ni chlywid fawr ddim mwy nag anadl argyfyngus yn chwythu

John a Mari Huws (Pwlffordd) – ffyddloniaid!

heibio i linynnau'i gorn gwddw. Daeth awgrym o argyfwng i'w lygaid. Gwnaeth un ymgais arall i roi bloedd, sgriwio'i wefusau cyn eu hagor i'r eithaf, a galw ar holl nerth ei gorff i yrru un gair huawdl ac ymerodrol i ben draw'r capel, ond — dim siw na miw. Dim ond tagu a thagu fel cath mewn pwcedaid o ddŵr yn boddi. Neidiodd 'nhad a'i gyd-ddiacon i'r adwy. Arllwyswyd llond jwg y pulpud o ddŵr i lawr ei gorn gwddw. Edrychai'r gynulleidfa fel pe bai'n gwylio rhywun yn cael ei achub o berygl ar y môr mawr. Offrymodd John Hughes druan y fendith a daeth oedfa gofiadwy i ben dipyn yn llai pwerus nag y dechreuodd.

'Cymer y pregethwr gartra!' meddai 'nhad wrthyf, fel yr oedd y gŵr bychan yn cerdded tuag ataf i ysgwyd llaw.

'Pity about my chest,' meddai ar y ffordd adref, cerdded ar hyd y cynêl, 'The old bronchitis, see.'

'I see,' meddwn innau, yn llawn cydymdeimlad.

'My voice is very strong,' meddai'r pregethwr.

'Yes,' meddwn innau.

'Don't you think my voice is strong then?' holodd, braidd yn bryderus.

'Of course!' brysiais i'w sicrhau.

'They say I'm as good as Jubilee Young every bit,' ychwanegodd, er mawr syndod i mi. 'Do you think I'm as good as Jubilee Young then?' gofynnodd ar ei ben.

'Definitely!' atebais, gan sylweddoli fod y gŵr bach annwyl hwn, er yn ddigon o ysgolhaig, mor ddiniwed ac ansicr â phlentyn bychan.

RHAN II

Trafferthion

Dychwelais, fel y dywedais, i Gaer wedi penderfynu nad oedd Abertawe yn grefyddol nac addysgiadol yn mynd i fod o fawr fantais i mi. Ar ôl bod o gwmpas rhai o gapelau'r dref, ac yn enwedig ar ôl gwrando ambell un nid oedd crefydd na chapel na phregethu yn ymddangos i mi yn debyg o gwbl i'r syniad a feddwn amdanynt o'm bachgendod; mwy na hynny, ni fedrwn osgoi'r ffaith fod rhywbeth yn fy neunydd yn gwrthod y ddelwedd a'r pwyslais ffwndamentalaidd a oedd mor groes i'm natur. Yr oeddwn yn ôl gyda W.R. druan yn y *City Mission*, gwrando ar Mr McFarlane a'i ddilynwyr bach syml a Seisnigaidd yn dyblu'r gân ac yn gorfoleddu yn yr Ail Ddyfodiad, a rhai o ladis cyfoethog dinas Caer wedi eu lapio mewn cotiau ffwr ac yn gwenu'n dduwiol ar bawb yn eu clydwch dosbarth uwch! Dim diolch! Yr oeddwn yn ôl gyda W.R. a'i Feibl dan ei gesail yn poeri adnodau ar focs sebon tu allan i'r Eglwys Gadeiriol neu ar y Cae Rasis, ymgolli mewn rhyw grefyddolder emosiynol, canu am yr euogrwydd nad oedd o fewn cyfandir i'm cnawd, ac yn cyhoeddi rhyw ystrydebau a oedd yn ffiaidd i'm clyw a sen i'm synnwyr. Nid oedd yn syndod o gwbl mai dyma'r adeg annifyrraf a fu dros fy mhen erioed.

Nadolig 1935! Pawb yn dyfalu'n gwrtais pam yr oeddwn mor dawel. Penderfynais fynd allan am dro. Nid oedd yn ddiwrnod braf iawn, niwl yn hanner gorchuddio'r tai fel y gwelir ar dro yng Nghaer, ond yr oedd tawelwch ar lannau'r Dyfrdwy, ac arogleuon sigâr ar ôl sigâr wrth i bererin ar ôl pererin fynd heibio. Ac er nad oeddwn yn 'tynnu mwg', chwedl fy mam, a'm bod yn wrthwynebydd cydwybodol iawn i'r arferiad erbyn hyn, mae arogl sigâr yn enwedig ar y Nadolig yn apelio'n rhyfedd ac yn rhyw fath o solas i'm hysbryd. Yr *arogl* nid y sigâr!

Mae'n rhaid i mi gydnabod, ar wahân i'r ffaith nad oedd gennyf 'gyfeillion' fel fy mrawd a'm chwiorydd yng Nghaer, mai'r rheswm pennaf y dewiswn fynd am dro fel hyn oedd i osgoi bod ar yr aelwyd. Yr oedd fy mrawd a'm chwiorydd yn gweithio, ennill cyflog, peth go urddasol ac anhepgorol yng ngolwg fy nhad. Bu'n rhaid i'm tad fynd i weithio'n gynnar, bywyd caled Sir y Fflint yn golygu bod yr Arglwydd Mostyn yn ei berchenogi i bob pwrpas ar ei stad yn ddeuddeg oed, ac yr oedd slafio a chwysu heb gymaint â hoe yn ail natur iddo, gewynnau a chyhyrau'i gorff wedi cynefino â llafurio felly, ei syniad ef o wneud 'diwrnod onest o waith', a pharchu meistr a moesymgrymu hyd yn oed yn beth rhesymol i'w ddisgwyl oddi wrth ddynol gnawd. Ni fedrwn ddeall hyn o agwedd na dadl gan fy nhad, gŵr a ysgyrnygai ddannedd ar y meistri glo a chodi dwrn yn eu herbyn, ond yr oedd ei feistri cynnar yn 'fyddigions' — yr oedd y Beibl yn dweud mai dyletswydd oedd ufuddhau i'r rhain! Hen bridd Sir y Fflint dan ewinedd fy nhad oedd hyn, hen bridd wedi hen galedu a mynd yn rhan o'r cnawd, ac ni fedrai dim na neb ei newid. Fe'i gwelais yn sefyll ei dir a mwy na hynny, bygwth a barnu ambell greadur haerllug fel rhai o brif swyddogion y cwmni yswiriant a wasanaethai, a hynny i'r fath raddau fel bod y goruchwyliwr Butler a'i ddirprwy a'i glerc yn ofni am eu bywyd i godi ei wrychyn, peth nad oedd yn anodd o gwbl i'w wneud; ar yr ochr arall, pan gerddai ambell foneddwr trwy'r drws, byddwn yn gwingo oddi mewn wrth weld cwrteisi fy nhad yn llifo drosodd. Anghysondeb dyn da oedd hyn, wrth gwrs, ac nid oeddwn heb gydymdeimlad, ond yr oeddwn ar yr un pryd yn gorfod wynebu'r ffaith fod y fath agwedd yn cynnwys rhyw fath o fygythiad a allasai beri anesmwythyd i mi maes o law.

Ni bu'n rhaid aros yn hir am hynny. Y rheswm sylfaenol am hynny oedd trafferthion ein bywyd fel teulu, wedi symud o Gwm Rhondda i ddinas ddieithr ac i ganol dieithriaid, a chael dau pen llinyn ynghyd bron yn drech na 'nhad. Ar wahân i'r ffaith na fwriadwyd i hen goliar fel ef fod yn ddyn siwrin o fath yn y byd, mae'n siŵr na fwriadwyd chwaith i ddyn siwrin na neb ddioddef y fath argyfyngau. Yr oedd ein bywyd teuluol ar ôl symud o Gymru i Gaer yn union fel bod ar long ar fin suddo, y tonnau dros ein pennau, fy mam yn ceisio perswadio pawb i'w feddiannu ei hun, fy nhad druan yn gweld dim ond y storm yn cynddeiriogi o'i gwmpas, ac yn galw ar y dwylo i gyd i fod yn ddiwyd i'n harbed rhag enbydrwydd, ond ei fab hynaf yn gwneud y sefyllfa'n waeth filwaith trwy fynnu bod â'i drwyn mewn llyfr ac yn sôn am fynd i goleg yn lle gwneud diwrnod onest o waith.

'Ma gofyn cael arian i fynd i goleg — wyt ti'n dallt hynny?'

'Ydw, wrth gwrs.'

'Ble ar y ddaear gei *di* arian felly? Ma gynnon ni ddigon i'w neud i dalu rhent a chael bwyd ar y bwrdd. Wyt ti'n sylweddoli hynny?'

'Ydw, wrth gwrs.'

'Fasa hi ddim yn well i ti dorchi dy lewys i ennill dy gadw felly, yn lle bod i fyny'r llofft 'na yn pendroni? Mi gei di'r dicáu yn dy gau dy hun i mewn am oria fel 'na!'

Ac allan ag ef i'w ardd, rhaw yn ei ddwylo mawr, i ddofi'r pridd a gosod ei ardd fawr gan wybod gymaint oedd yr angen am ffrwyth ei lafur i gynnal ei deulu. Edrychwn arno drwy'r ffenest fach, ei gorff cadarn a'i freichiau cyhyrog yn chwys i gyd yn gwneud ei erddi yn ddigon o ryfeddod, a sylweddolwn yn wir ofidus na feddwn frwdfrydedd na medr fy nhad, ac na feddai yntau'r synwyrusrwydd i werthfawrogi'r pethau a oedd yn unig ddiddordeb i mi. Cenfigennwn wrth fy mrawd, yr un ddelw gorfforol â 'nhad yn bymtheg oed, pan ddychwelai yn ei ddyngaris o'r gwaith yn saim i gyd, wedi gwneud rhyw offer neu declyn ar y peiriant turnio, a'i sgwrs bob amser am olwynion a pheiriannau — a 'nhad yn llygaid a chlustiau i gyd wrth ei fodd! Ac nid oes gennyf unrhyw amheuaeth y gwnaed y sefyllfa ar yr aelwyd yn waeth o lawer gan na feddwn ac na ddangoswn i unrhyw ddiddordeb, heb sôn am gymhwyster, tuag at waith llaw o unrhyw fath, dim ond mwydo fy llonyddwch a'm harwahander yn yr ystafell gefn ar y llofft, y ford wisgo fach yn ddesg, a'r sil ffenest a'r lle tân yn llawn o lyfrau. Diamau, wrth edrych yn ôl, mai dyma'r peth olaf a ddymunai fy nhad i'w weld ymhlith ei blant ar hynny o bryd.

Yn ychwanegol at hyn, digwyddodd fy nhad glywed ar ei rownd yn casglu siwrin, fy mod i'm gweld yn gyson yn Theatr y Royalty. Ni fedrwn ac ni ddymunwn wadu hyn, oherwydd un o'r pethau hyfrytaf a ddigwyddodd yn ystod fy llencyndod yn y ddinas oedd y cwmni o actorion proffesiynol a ddaeth i'r Royalty am dymor hir, y Fortescue Players. Y prif actor oedd gŵr o'r enw Gordon Bell a'r brif actores oedd merch hudolus o'r enw Neena Harvey, ac yn y cwmni yr oedd gŵr o'r enw Arthur Ridley yr oeddwn i ddod i'w 'nabod yn dda fel un o actorion cynnar *Coronation Street* ym Manceinion.

Trwy'r Fortescue Players y deuthum ar draws dramâu Bernard Shaw am y tro cyntaf, a dramâu enwog eraill fel *I Have Been Here Before* a *Time and the Conways* Priestley a champweithiau Ibsen a Chekhov. Ni fedrwn fforddio ond sedd chwe cheiniog yn yr entrychion, ond eisteddwn yno wedi ymgolli yn y geiriau a'r symudiadau, yn cael agoriad llygad ar fyd newydd a chyfareddol, gan sylweddoli ar yr eiliad fod cysylltiad pendant rhwng yr hyn a deimlwn am y pulpud lle yr oedd fy uchelgais a'r hyn a welwn yn awr yn y theatr. 'Roedd yr hyn a welswn gewri'r pulpud yn ei wneud yn fy nharo fel yr union beth a hoeliai fy sylw yn awr yng nghelfyddyd Gordon Bell a'i gyd-actorion, ac er nad oedd gennyf unrhyw awydd i droi cefn ar y bwriad gwreiddiol, yr oedd gennyf awydd mawr iawn i sefyll ar lwyfan a dal cynulleidfa ar gledr fy llaw.

Dechreuais sylweddoli'n araf deg y rhwystredigaeth a oedd ar ddechrau fy anesmwytho. Rhyw orfodaeth i ymhél â geiriau, llunio brawddegau, saernïo pennill, er mor ystyfnig y rhuthmau, a dysgu ar gof ddarnau helaeth o farddoniaeth Gymraeg a Saesneg, er y gwyddwn yn ddigon da mai doethach o lawer fyddai ymroi i feistroli pynciau eraill os oeddwn i sylweddoli fy uchelgais. Ond a oeddwn am sylweddoli fy mwriad gwreiddiol — a chaniatáu y cawn wared o'r anawsterau ar fy llwybr? Ni wyddwn am ddim ar wahân i gapel a phulpud cyn hyn, ond yn awr — wel, yr oedd drws wedi agor a golygfa newydd tra ysblennydd o'm blaen!

Un noson wrth wylio'r actorion ar y llwyfan, daeth syniad i mi. Beth am ofyn i Gordon Bell a fedrwn ymuno â'i gwmni?

Mae'n siŵr y gallwn wneud rhai o'r rhannau bychain? Mae'n siŵr y gallwn lefaru cystal ag ambell un yn y cast! Ni fedrwn aros i'r perfformiad orffen y noson honno cyn prysuro at fynedfa'r llwyfan i gael gair â Gordon Bell a chynnig f'athrylith iddo. 'Stay here!' meddai'r gŵr wrth y drws, yn ddigon diamynedd, 'I'll tell him now!'

Daeth Gordon Bell bron yn ddi-oed i'm cyfarfod, ei dywel yn ei law yn sychu'r chwys a'r paent ymaith, a'm derbyn yn gynnes yn union fel pe bawn innau'n hen law yn y theatr fel yntau. Gofynnodd fy enw, natur y sgwrs a ddymunwn, cyn fy nghyfarwyddo â'i dywel, 'Follow me!' Cerddais ar hyd y coridor tywyll, hen goridor o frics wedi'i beintio'n felyn, a'r melyn hwnnw'n frown erbyn hyn. Wedi dod i ben draw'r coridor, daethom at ystafell fechan gyfyng, dim ond bwrdd yn llawn o diwbiau paent a phetheuach, drych hir ar y wal a rhesi o oleuadau bob ochr. 'Sit down!' meddai'r actor hynaws, cyn cymryd potel a llenwi gwydr. 'Drink?' Gwthiodd y gwydr i'm llaw. 'Cheers!' Nid oeddwn yn fy myw wedi blasu diod gadarn, ond gwyddwn yn iawn mai'r hyn oedd dan fy nhrwyn oedd glasaid o 'biso deryn', enw fy nhad ar y whisgi a flasid ganddo'n ddirgel 'er mwyn y gwaed'. 'Cheers!' meddwn innau, gan godi'r gwydr at fy nhrwyn, dim mwy, yn union fel pe bai rhywun wedi rhoi gwenwyn i mi.

Nid oeddwn wedi gweld dim tebyg i hyn yn fy myw! Bron nad oedd yr ystafell wisgo yn fwy hudol na'r llwyfan. 'Roedd sawr y theatr ar bopeth. 'Roedd golwg actor go iawn ar Gordon Bell. Pe bawn i'n cael ond blaen fy nhroed i mewn i'r byd hwn! Mae'n siŵr bod y theatr yn talu gymaint i brentis actor ag y talai'r Crosville i'm brawd am fod yn brentis mecanig! Digon i dawelu 'nhad, o leiaf.

'How would you like to be an actor?' gofynnodd Gordon Bell, yn sipian ei ddiod.

'Marvellous!' 'Roedd fy llygaid yn fwy tanbaid na'r goleuadau o'm cwmpas.

'Have you done any acting?'

'A bit,' meddwn innau'n hyderus, yn dal i roi'r whisgi dan fy nhrwyn gan gogio cymryd dracht, a chan feddwl am y dramâu capel y bu imi ran ynddynt, *Dal y Lleidr*, *Y Ciwrad yn y Pair*, ac ati.

'We're doing a very nice play shortly,' meddai Gordon Bell, gan godi copi o'r bwrdd a throi'r tudalennau, 'Have a smack at this!'

Rhoddais fy whisgi heibio, ei wynt yn ddigon i droi fy mhen, a cheisiais ddarllen — a mwy na *darllen*! — y darn gosodedig, yn ddigon o hen bry yn barod i arafu a chyflymu yn union fel yr oedd Gordon Bell ei hun wedi gwneud ar y llwyfan. Gwrandawodd yntau mor astud arnaf ag yr oeddwn innau wedi gwrando arno ef. Daliai i wenu trwy gydol fy mherfformiad, er bod ei lygaid fel pe'n gwibio heibio i mi ar dro, ond bwriais iddi nerth fy ngheg gan gwbl gredu ei fod yn cael argraff dda o'm potensial.

'Very good!' meddai, yn cymryd y llyfr yn ôl. 'A promising voice, makes a nice noise, could go places, but —!' Daliodd ei dafod. 'Your vowels!'

'Vowels?' meddwn innau, ar goll.

'All to hell!'

'How is that?'

'You need training, that's all.'

A chefais ganddo am y chwarter awr nesaf, y peth tebycaf a glywswn hyd hynny i ddarlith coleg, gwers hir a manwl ar lefaru cyhoeddus, d-a-a-a-nce, ch-a-a-a-nce, l-a-a-a-nce, a wnaeth i mi sylweddoli am y tro cyntaf yn fy myw mor gloff a thrwsgl ac amhersain oedd fy nhipyn Saesneg. Y pulpud amdani, meddyliais, gallwn anghofio yr hurtwch o freuddwydio am fod yn actor, dipyn o gonsêt digon digywilydd oedd i ryw Sioni-hoi fel fi ddychmygu am un eiliad fod ganddo ddim i'w gynnig i'r theatr a'r Fortescue Players!

'Thanks,' meddwn i, yn ddigon digalon, 'I'd better be going.'

'No, don't go!' meddai Gordon Bell, yn dal yr un mor hynaws, 'Have another whisky!'

Another whisky, meddyliais, a minnau wedi gwneud digon o glown o'm hunan yn barod heb fentro dim mwy nag *arogli'r* stwff. 'No, thank you,' meddwn i, yn gwrtais a diolchgar, gan godi i fynd.

'We're doing a play in three weeks, need some extras, you may have a line or two, give you the feel of the boards — how about it?' meddai Bell, yn rhoi ei fraich ar fy ysgwydd a'm cerdded tua'r drws.

'Oh . . . well . . .' Ni fedrwn ddod o hyd i eiriau i'w ateb dros fy nghrogi!

'Come and see me week today!' meddai, cyn diflannu yn ôl i oleuadau llachar ei ystafell.

Cerddais adref fel un yn troedio'r awyr, nid oeddwn wedi sipian diferyn o whisgi'r actor ac eto yr oeddwn yn feddw fawr gan freuddwydion, medrwn fy ngweld a'm clywed fy hun yn synnu'r tyrfaoedd yn y Royalty Theatre, curo dwylo hir ar ôl fy mherfformiad, llithiau canmoliaethus yn y papurau, yr oedd byd newydd a dyfodol disglair o'm blaen, a dyma'r math o lesmair a'm meddiannai wrth gerdded i mewn i'r gegin.

'Roedd fy nhad a'i drwyn yn ei lyfr siwrin, pob math o ffurflenni ganddo ar y bwrdd, ei bin sgrifennu yn ei law, a phan edrychodd i fyny i syllu arnaf yn dod trwy'r drws, bron na wiriwn i mi weld dagrau yn powlio allan o'i lygaid. Yr oeddwn ar fin ei gyfarch a chychwyn sgwrs, ond rhoddodd fy mam ei bys dros ei gwefusau a'm siarsio, 'Sht!'

Daeth sŵn argyfyngus oddi wrth fy nhad, y math o sŵn yr oedd yn dueddol i'w ollwng ar adegau o gyfyngder, rhyw hanner ochenaid a rheg, gan frathu ei dafod a fflachio barn ar bawb.

'Be sy'n bod?' holais yn bryderus dan f'anadl, er fy mod yn medru dyfalu'n iawn beth oedd y trwbwl.

'Pobl heb dalu!' meddai mam, gan edrych yn llawn cydymdeimlad ar ei gŵr yn ceisio gwneud ei lyfr yn barod i fynd i'r swyddfa. 'Creadur!'

Y peth nesaf a wyddwn, yr oedd y llyfr siwrin a'r ffurflenni wedi eu lluchio'n un bwndel ar draws y gegin, a bys fy nhad yn pwyntio ataf, 'Ffitiach o lawer dasat ti'n morol am jobyn o waith fel dy frawd, nid — nid — nid —!'

'Dyna ddigon!' meddai mam, ac aeth fy nhad mor dawel ag oen yn ei gadair freichiau, tra oedd hithau'n codi'r llyfr siwrin a'r ffurflenni a'u gosod yn ôl ar y bwrdd.

Yr oedd yr awyrgylch yn glòs ac yn ddigon i dagu dyn ac anifail. Eisteddai'r gath ar y pentan a'i chrwmp yn uchel a'i llygaid ymhob man. 'Roeddwn innau'n edifar fy mod wedi mentro i'r gegin ar awr mor derfysglyd a bûm yn dyfalu ai gwell oedd i mi hel fy nhraed, oherwydd gwyddwn o'r gorau fel yr oedd fy mhresenoldeb yn rhygnu ar fy nhad. Ef o dan y tonnau fel ag yr oedd, casglu siwrin ymysg estroniaid, gwaeth na begera, a'i fab hynaf yn hwylio am goleg i'w wasgu i'r ddaear yn lle rhoi help llaw i gynnal y teulu!

Gan feddwl y medrwn godi calon a dwyn dipyn o heulwen i wasgaru cymylau'r gegin, cyhoeddais yn fy niniweidrwydd llawen, ''Dw i wedi cael rhan i actio yn nrama'r Royalty!'

Gwelais wyneb fy nhad yn cael ei sgriwio fel un wedi'i barlysu, yr oedd ei eiriau'n fwrlwm ar flaen ei dafod yn methu'n lân â chael mynegiant, a'i ddyrnau wedi cau gan gynddaredd heb fedru symud o'r fan. Ni fedrai fy mam a finnau ond sefyll yno'n fud. Aeth eiliadau hir heibio cyn iddo fedru gwneud brawddeg.

'Be — be — be nesa? Mynd i'r colej, mynd i actio! Be — be wyt ti'n ceisio gneud? Rwyt ti fel yr hen geffyl dwl 'na odd gen i ar y wedd ym Mhlas Capten stalwm, ei ben yn mynd un ffordd a'i ben-ôl yn mynd ffordd arall!'

Do, bu'n dipyn o storm ar yr aelwyd y tro hwnnw, y theatr yn ddieithrach i 'nhad na chae chwarae, y Royalty yn ffieiddiach yn ei olwg na'r Freemasons a enynnai ei lid mor aml, a'r awgrym am fynd i actio yn union fel pe bawn yn dewis mynd ar fy mhen i uffern. Ni pharhaodd fy mreuddwyd yn hir nad oedd yn chwilfriw felly, a cherddais yn ddigon llipa i ddweud wrth Gordon Bell na fedrwn dderbyn ei wahoddiad caredig.

'Sorry about that, old boy!' meddai, gan estyn ei law, 'Have a drink before you go!'

Siglais fy mhen gan frysio allan o'r theatr yn gywir fel yr hen geffyl gwedd a ddisgrifiwyd gan fy nhad, ei ben yn mynd un ffordd a'i ben-ôl yn mynd ffordd arall.

Anhunedd

Edrychodd John Powell Griffiths ar fy llyfrau, *Shakespeare's Complete Works, Collected Poems of W. H. Davies, The Waste Land, Monica, O Gors y Bryniau, Ulysses* (Joyce), *Caniadau Cynan, Cywyddau Cymru*, fy mwyd a'm diod, gan eu gosod yn un bwndel o'r neilltu. Safodd o'm blaen, pum troedfedd o benadur bach doniol, ei fys yn pwyntio ataf cyn gwneud dwrn, dwrn mor fygythiol â dwrn plentyn dengmlwydd, gan fy nhynghedu, 'Gwedwch gwd-bei wrth y llifre 'ma nawr! Os wela i chi yn cyffro â nhw heb sôn am 'u darllen nhw, lwc-owt! Mi ladda i chi!' A gosododd bentwr newydd o lyfrau ger fy mron, Testament Groeg (Westcott and Hort), *De Bello Gallico*, ac eraill, gan orchymyn eto, 'Wi ddim am weld dim arall dan ych trwyn chi ond y rhain nawr! Ŷch chi'n addo i fi nawr?' Addewais. 'Clwyddgi jiawl!'

Yr oedd yn gyfnod o anhunedd drwy'r wlad i gyd. Er nad oedd gennyf fawr o ddeall o wleidyddiaeth, dim ond fy emosiynau mawr o blaid cenedlaetholdeb Cymreig, rhyw hoffter o'r Left Book Club, gwyddwn o'r gorau nad oedd yr anhunedd hwn yn gyfyngedig i wleidyddiaeth ond i bob cylch o fywyd. Yr oedd y Rhyfel Byd Cyntaf wedi gadael ei ôl, dirwasgiad a diweithdra wedi diflasu dynion, gan achosi cryn dipyn o hafog ysbrydol a chrefyddol. 'Mae Lloyd George wedi deud ma fel hyn y basa hi!' dadleuai 'nhad, y bygythion mwyaf eithafol ar ei dafod yn fynych, ond Lloyd George y dyn yn ei olwg o hyd, gan ddyfynnu, 'Mi fydd gofyn ripario hir ar yr hen wlad 'ma ar ôl y rhyfel, medda Lloyd George!'

Y drasiedi oedd, yn ôl fel y gwelswn fywyd yng Nghwm Rhondda o leiaf, fod pobl wedi digalonni, brwydr bywyd am fara a dillad wedi rhygnu'r nerfau i ymylon gwallgofrwydd, nes peri i frawd golli'i dymer â brawd, tad â'i fab — a *dyna* rywbeth y gwyddwn amdano'n rhy dda yn bersonol! Gwaetha'r modd, nid rhyw elfennau dros dro a achosai'r anhunedd, ond rhyw gancr a oedd yn ddyfnach o lawer ac yn bygwth taflu cysgod dros holl ddyfodol dynion. Er bod llawer o sôn am ddatblygiadau mecanyddol i helpu diwydiant a chymorthdaliadau sylweddol yn cael eu cynnig, yr oedd maes diwydiant mor gythryblus a milwriaethus â maes y gwaed. Oddi ar gyhoeddi Cadoediad 1916 hyd at 1926, y flwyddyn gyntaf i wneud argraff ddofn arnaf, yr oedd cythrwfl ar ôl cythrwfl diwydiannol fel pla ar led. Cyflog, oriau, ac amgylchiadau, dyna asgwrn y gynnen bob tro.

Daeth pregethwr heibio un Sul a chyhoeddodd o'r pulpud fod cyflwr ysbrydol y wlad yn gyfrifol am 3,022 o gwerylon diwydiannol mewn dwy flynedd, taranodd y rhif eilwaith yn Gymraeg a Saesneg er mwyn i bawb fod yn berffaith siŵr, a bûm i'n dyfalu'n gellweirus weddill yr oedfa beth tybed oedd y 'twenti-tw'! Parhaodd problem diweithdra i ddrysu'r cynlluniau gwleidyddol a gwawdio'r addewidion i gyd. Nid oedd y broblem ar gael ym 1920, ond erbyn Mehefin 1921 yr oedd dros 2,580,000 o ddynion allan o waith, ac nid oedd fawr o wahaniaeth yn y rhif erbyn y tridegau, yn ôl yr ystadegau. Fe grewyd y dôl i geisio lleddfu'r sefyllfa, ac ar wahân i hynny gwelodd y Blaid Lafur a'r Blaid Ryddfrydol bosibiliadau yn y cynllun i wario arian ar waith o fudd cyhoeddus a chynllunio cymunedau ar gyfer y di-waith a hen filwyr. Ymfudodd rhai pobl i'r Amerig a Chanada a Seland Newydd, llifodd poblogaeth y Rhondda i Hayes a Slough a chyfeiriadau eraill yn Lloegr (fel ninnau), ac fe welsom hen gydnabod fel Dai Jenkins a'i deulu o Glydach Vale yn ymsefydlu ar yr ystad gydweithredol yn Sealand ac yn ceisio ennill eu bywoliaeth oddi ar y tir.

Gair du arall a ddaeth i mewn i eirfa'r cyfnod oedd 'streic', ac fe wyddwn ond yn rhy dda i streiciau 1925 a 1926 newid holl batrwm a hanes ein teulu ni dros byth. Yr oeddwn i ddarllen ymhen amser gerdd enwog Idris Davies, y bardd hoffus hwnnw o'r Rhymni yr oeddwn i gael ei gwmni am un prynhawn bythgofiadwy ar faes yr Eisteddfod Genedlaethol, ond ni ddywedodd Idris ddim am 1926 nad oedd yn ysgrifenedig ar fy nghof a'm calon. Dangosodd gwŷr y relwe a thrafnidiaeth gydymdeimlad trwy gynnal streiciau, ac aeth y sefyllfa mor ddrwg nes i'r Llywodraeth ofyn am Gomisiwn Brenhinol o bedwar a Syr Herbert Samuel yn gadeirydd i baratoi adroddiad ar gyflwr y diwydiant glo. Canlyniad hyn oedd argymell yn erbyn cenedlaetholi gan annog y perchenogion a'r glowyr i dderbyn yr awgrymiadau. Ni fynnai'r perchenogion mo hyn a chyhoeddwyd ganddynt ym mis Ebrill 1926 dermau newydd cyflog y glowyr. Gwrthododd y glowyr ac erbyn mis Mai cyhoeddodd Cyngor yr Undebau Llafur y Streic Cyffredinol. Yr oedd Cymru a Lloegr mewn picil anhygoel. Neb i gludo nwyddau. Dim papurau. Bywyd wedi'i barlysu. Nes yr aeth pobl i drefnu gwasanaethau gwirfoddol — moduron preifat yn cludo dynion i'r gwaith, myfyrwyr yn gyrru'r bysus, aelodau seneddol a phob math o ddynion yn gwneud pob math o jobsys! Cyhoeddodd y Llywodraeth bapur dyddiol yn dwyn yr enw *The British Gazette.*

Yr oedd gwaeth i ddilyn. Nid oeddwn i'n deall hynny, ond — fel llawer un arall yn y cyfnod hwnnw — fe synhwyrwn y cwbl. Ymddiswyddodd Baldwin, gŵr nad oedd gennyf fawr o olwg arno am ddim mwy na'r ffordd yr oedd fy nhad yn dweud ei enw, a daeth Ramsay MacDonald i'r orsedd. Ni bu mewn grym mwy nag ychydig fisoedd nad oedd corwynt yn chwythu drwy'r wlad a'r byd, masnachu rhwng y cenhedloedd wedi mynd a'i ben iddo, arian wedi colli'i werth a dynion busnes wedi colli ffortiwn ar ôl ffortiwn dros nos. 'Roedd diweithdra wedi cyrraedd pinaglau newydd a 'dyled' yn poeni teuluoedd a gwledydd fel ei gilydd.

Fe glywn newyddion am Balesteina a'r Aifft a'r India, ac yr oedd y brwdfrydedd cenedlaethol a daniwyd yno yn golygu her newydd i Brydain a rhyw anhunedd newydd ar draws y byd. Daeth yr hanes am Siapan yn ymosod ac yn concro Manchuria. Apeliodd Tseina at Gynghrair y Cenhedloedd ac fe gondemniwyd gweithred Siapan, gyda'r canlyniad i'r wlad honno adael y Gynghrair a pharhau ei hymosodiad ar Tseina. Ni wnaeth

Cynghrair y Cenhedloedd ddim ac y mae'r cof yn aros am aneffeithiolrwydd y peth mwyaf gobeithiol a fu ar gael ers tro byd.

Boed hynny fel y bo, nid Siapan na Tseina oedd yn gyfrifol am anhunedd Lloegr a Ffrainc a'r Eidal o ran hynny, ond yr Almaen gloch uchel a ffroenuchel o dan gyfaredd Hitler. Ym mis Mawrth, yr oedd y Llywodraeth yn paratoi rhaglen newydd ar gyfer arfogi a Ffrainc hithau yn gwneud gwasanaeth milwrol yn fater o orfodaeth. Yr oedd sŵn milwyr yn martsio yn byddaru Ewrob i gyd, ac nid oedd na phlas na bwthyn, tlawd na chyfoethog, heb fod cysgodion trwchus yn brawychu einioes ac yn creu anesmwythyd ac anobaith.

Rhy Ddiog i Weithio?

Preswylfa! Tŷ o frics coch Rhiwabon, gyferbyn ag ochr y Capel Mawr, hysbyseb tu allan yn arddel enw'r Dr Wynn Davies, Gweinidog, yng nghanol pentre Rhosllannerchrugog. Gŵr gweddw oedd John Powell Griffiths, collasai ei wraig ar ôl ond ychydig fisoedd o fywyd priodasol, Mrs Edwards yn gofalu am y cartref iddo bellach, Bes Ann, fel y'i gelwid, gwraig weddw ag un ferch ganddi, Luned. Gweinidogaethai Powell Griffiths yr Eglwys Fedyddiedig Saesneg, Mount Pleasant, Ponciau, y bobl wedi hen gynefino ag ef ac yntau wedi hen gynefino â'r bobl — 'In my first church in Radnorshire, I went around visiting on the back of a little donkey — the donkey and I got on well together! So if I've failed to manage some of you Northmen, remember I managed a little donkey all right once upon a time!' meddai wrth gael ei dystebu ar ddathliad ei weinidogaeth.

'Roedd wyneb y gŵr bychan fel cerfiad mewn maen, gwallt brws caens, llygaid tanbaid, coler a phig, tei ddu, siwt ddu, a rhyw olwg llariaidd ar y creadur bob amser, er mai'r camgymeriad mwyaf a ellid oedd ei ystyried yn ddof, oherwydd yr oedd yn agored bob amser i ffrwydro a rhegi fel nafi, neu i'r gwrthwyneb chwerthin ei ochrau gan rhyw ddireidi neu ddoniolwch.

Fe'i gwnaeth yn genhadaeth bywyd i hyfforddi bechgyn heb ysgol na chyfle i ysgolia, gan ddysgu Groeg, Lladin, Ffrangeg, Esperanto, Mathemateg, Hanes, ac ati, er mwyn hwyluso'r ffordd iddynt fynd i'r coleg. Ychydig oedd y rhai a geisiai fynd yn athrawon, ac yr oedd y bechgyn a dderbyniai ei gymwynas bron yn ddieithriad yn paratoi ar gyfer y weinidogaeth. Y tro cyntaf i mi ymweld ag ef, cyn mentro i Abertawe, yr oedd dau

Bechgyn y Rhos.

'stiwdent' dan ei ofal, Owen Elis Roberts a Geraint Owen, wrthi gymaint fyth yn y parlwr yn meistroli'r Groeg a'r Lladin, ac erbyn i mi gyrraedd yn awr am hyfforddiant yr oedd y ddau wedi pasio'r arholiad ac ar ganol eu cwrs ym Mangor.

Y pryd hwnnw, yr oedd y gystadleuaeth yn weddol chwyrn am fynediad i'r colegau diwinyddol, ac erbyn i mi landio yn y Rhos yr oedd y tŷ yn llawn o gywion-bregethwyr — Lewis Ellis, Robert Ellis, Winston Howells, Wynne Jones, Emlyn John, Robert Davies, Elfed Davies, Bob Coetmor Jones! Er iddo weithio pob un o'i fechgyn yn ddigon didrugaredd, mynwesai'r athro syniadau uchel am bob un ohonynt, heb fod yn amharod ar dro i ganmol, ond yr uchaf ar y rhestr yn serch a syniad John Powell yn bendifaddau oedd yr hen gi, Jimmy, a ddilynai ei feistr i bob man, gan berfformio ar ei air i ddweud ei bader neu roi saliwt Hitler.

Yr oedd y cyfnod hwn yn un tywyll iawn ar un ystyr, er bod dyn yn medru edrych yn ôl bellach a chwerthin ar lawer o'r troeon dyrys. Hyfforddai'r athro ei ddisgyblion un ar y tro, yn null Ifan Jones hwsmon Gwernyffynnon yn nofel Daniel Owen, pob un yn cael sylw personol, gan gymryd llanc gydag ef allan am dro weithiau a chodi cerrig mân y ffordd i'w rhoi ar gledr ei law, 'Now that is *lu-o*, that is *lu-eis*, that is *lu-ei*!' yn union fel gosod briwsion bara i aderyn bychan egwan bigo am ei gynhaliaeth. Yr oedd rhai dysgodron o gwmpas a gondemniai'r sustem, drilio disgybl fel parot heb i reolau gramadeg gael eu deall, ond ymddangosai i'r peth weithio'n dra llwyddiannus ym mharlwr Preswylfa yn y Rhos, oherwydd hedfanai bechgyn John Powell drwy eu harholiadau ar eu ffordd i'r gwahanol golegau. Yn wir, credai'r athro mor ffyddiog yn ei ddull o hyfforddi fel yr ymhonnai y medrai Jimmy'r ci basio'n rhwydd i Goleg Bangor neu Goleg Caerdydd, ac a barnu yn ôl y mosiwns ar wyneb yr anifail ufudd yr oedd yn anodd iawn i amau hynny. Dangosai John Powell duedd i ffafrio Coleg y Bedyddwyr, Caerdydd, am mai dyna oedd ei hen goleg ef; a rheswm arall (fel y tybiwn i ar y pryd) mai sefydliad Saesneg ydoedd; yno yr aeth rhai o'i fechgyn disgleiriaf, un ar ôl y llall, J. S. Roberts, R. E. Davies, Emlyn Davies, Caradog Davies, cyn eu dilyn gan fechgyn fy nghenhedlaeth i, Bob Coetmor, Winston Howells a Wynne Jones. Wrth gwrs, aeth llif o lanciau o'r Rhos i Goleg Bangor, enwau llachar iawn erbyn hyn, Tom Elis Jones (Prifathro'r coleg wedyn), Gwilym Bowyer (Prifathro Coleg yr Annibynwyr wedyn), Trefor Owen Tre-gŵyr (a gyflawnodd weinidogaeth hir a chlodwiw yn yr un eglwys), Môn Williams, Owen Elis Roberts (dau o lywyddion Undeb Bedyddwyr Cymru), Geraint Owen, Herbert Roberts, Maelor Williams, Ogwen Williams, Thomas Davies, Hugh Thomas, Idwal Wynne Owen, Emlyn John, Tom Morris, Elfed Davies (Dr Elfed Davies erbyn hyn a gafodd yrfa lachar fel darlithydd yng Ngholeg y Brifysgol, Caerdydd).

Ni fentrais i am fynediad i Goleg y Gogledd, yn unig am nad oedd John Powell yn cymeradwyo hynny, a phan deithiais i Gaerdydd, yr oedd gennyf syniad clir iawn nad yng nghysgod yr Arglwydd Bute yr oedd fy nyfodol i gael ei hyrwyddo. Ar y pryd, yr oedd barddoni wedi fy llwyr feddiannu, ar fy ngwaethaf ni fedrwn ymollwng, a bûm yn ddigon annoeth i anfon nifer o'r cerddi anaeddfed hyn i'w cyhoeddi yn *Y Faner*, *Y Cymro*, a *Seren Cymru*. Gwyddwn o'r gorau mai ffolineb o'r mwyaf oedd crwydro'n afradlon fel hyn oddi ar lwybrau'r Groeg a Lladin, a'r bechgyn eraill i gyd yn ymegnïo bob munud o bob dydd tua'r nod. Y drafferth oedd, pan oedd beirdd o safon fel Prosser Rhys, Dewi Emrys, a Harding Rees yn rhoi'r fath ganmoliaeth i'm hymdrechion — 'Dalied i ganu, ac fe ddaw ei afael yn sicrach ar ei gyfrwng.' — 'Gwych o beth yw gweld bardd ifanc yn mentro canu allan o'r hen rigolau.' — 'Mae dylanwad Gwenallt yn amlwg arno, ond y mae ganddo ei weledigaeth ei hun ac wrth ddyfalbarhau fe ddaw i feddu ei lais ei hun.' — pa siawns oedd gan greadur i roi'r delyn ar yr helyg, neu ei hongian yn y sbens dros dro fel petái? Dywedai'r bobl hyn yn ddigon onest bod addewid bardd ynof, a dechreuais sylweddoli mai *dyna* a fynnwn fod o flaen dim arall. Pe bawn yn mynd i Goleg Caerdydd, fel yr anogai John Powell, neu Goleg Manceinion, fel yr argymhellai bryd arall, oni fyddai'r holl awyrgylch yn niweidiol ac yn siŵr o ladd yr awen ynof? Cefais flas o hyn yn union ar ôl cerdded i mewn i'r ystafell i eistedd y papur Cymraeg yng Nghaerdydd, pan ddywedodd y gŵr a wyliai'r eisteddiad hwnnw, yn ddigon chwareus a difeddwl mae'n siŵr, 'Ydach chi'n hoffi'r papur Cymraeg, Mr Williams?' Ni fedrwn ddeall pam ar y ddaear yr oedd yn rhaid fy newis i ar gyfer y fath gwestiwn. Atebais, 'Mae'n — iawn.' A dyna'n union fel y teimlwn, papur digon syml, hyd yn oed *shimpil*, fel y dywedai'r athro yn y Rhos. Meddai'r gwyliwr wrthyf yn ôl, 'Ma digon o le 'na i ddal beirdd bach Cymru!' Ni bûm yn falchach o gael fy nhraed tu allan i ystafell erioed, a phan gyhoeddwyd gan y senedd yn ddiweddarach y derbynnid chwech ac mai fi oedd y seithfed, yr oedd y newydd fel dihangfa yn fy nghlustiau.

Mynnodd John Powell fy nghyfeirio ar fy union am Goleg y Presbyteriaid yng Nghaerfyrddin, er nad oedd unrhyw fath o awydd ynof, ond ufuddheais gan y gwyddwn o'r gorau os oedd unrhyw ymwared i fod i mi allan o bicil a chymhlethdodau ieuenctid yr oedd hyfforddiant y dyn bach o'r Rhosllannerchrugog yn allweddol i hynny. Yr unig drafferth oedd ei fod yn fwy penstiff nag yr oeddwn i, creadur heb unrhyw fath o gydymdeimlad na deall (hyd y gwelwn i) o'r breuddwydion a derfysgai fy neunydd, pregethu iddo ef yn beth hollol academig, pinacl bywyd oedd ennill B.A., a choron ar yr ymdrechion i gyd oedd graddio'n B.D. Ac nid oedd dim yn fwy gwrthun yn fy ngolwg na chroes i'm natur bellach, gwaetha'r modd.

Rai dyddiau cyn cynnig yr arholiad yng Nghaerfyrddin, yr oeddwn wedi mynd i gyfarfod pregethu arbennig, llawer o weinidogion yn bresennol ac yn eu mysg y Dr Wyre Lewis (er nad oedd Prifysgol Cymru wedi'i anrhydeddu eto), ac fe sylwais — yr oedd fy synhwyrau'n effro iawn i bethau o'r fath — ei fod fel pe'n anfodlon i gymryd y sylw lleiaf ohonof. Ymhen blynyddoedd wedyn, daeth ef a minnau'n gyfeillion agos iawn, a darganfûm ei fod yn ŵr mawrfrydig a llawn hiwmor, ond ar y cyntaf oll gŵr digon oer a digymrodedd yr ymddangosai i mi, ac un heb fawr o hoffter o'm hieuenctid ansicr a breuddwydiol. Cadarnhawyd hyn pan ddaeth y gweinidog i ofyn i mi ddechrau'r oedfa, minnau'n gwneud, ac yn clywed dau neu dri o'r gweinidogion yn sisial yn y sêt fawr, 'Ma digon o dalent 'na, ond — rhy ddiog i weithio!' Brathwn fy nhafod. A phlygodd gweinidog penadurol Penuel, Rhos, ei ben tuag atynt a dweud rhwng ei ddannedd, 'Ma angen dipyn o ddisgyblaeth arno!' Cytunodd pawb. Wynebais yr arholiad yn benderfynol o ddangos i'r bobl hyn . . .

Pan ddaeth y canlyniadau pwysicach na phasio oedd y llythyr a anfonodd yr Athro M. B. Owen at John Powell Griffiths yn ei longyfarch ar drylwyredd ac effeithiolrwydd ei ddulliau o addysgu ei fechgyn mewn Groeg a Lladin! 'I'm very proud of you!' meddai'r dyn bach yn ei gadair freichiau ym Mhreswylfa pan ddychwelais i'r Rhos. Ymhen awr, yr oedd rhywun wedi galw a chopi o'r *Seren Cymru* gyfredol ganddo, ac un o'r pethau cyntaf i John Powell ganfod oedd cerdd newydd o'm gwaith, 'Y Sipsi', ac ar ôl ei darllen taranodd, ' "Y Sipsi", wir! Os na wnewch chi roi'r gore i'r barddoni jiawl 'ma, mi fyddwch yn cwpla lan gyda'r sipsiwn yn gwerthu pegs!'

Nid oedd ef na minnau ar y pryd yn gwybod pa mor agos at y gwir oedd ei eiriau.

Abertawe Eto

Abertawe! 'Roedd y cwrs newydd yn dechrau yng Ngholeg y Brifysgol yno — mae'r profiad mor fyw ag erioed! Sefyll yn y ciw hir i gofrestru, y nesaf un o'm blaen, Noel Smith o Waunscaegurwen, gwallt du fel y frân, gwên radlon, a'r ddau ohonom yn bennaf ffrindiau o fewn eiliadau! (Ymhen blynyddoedd, wedi cyrraedd Aberdâr, ef oedd un o'r cyntaf imi ddod ar ei draws, gŵr penwyn erbyn hyn ond yr un wên radlon, byw nepell oddi wrthyf ac yn briod â chwaer y cyfaill coll hwnnw, Carwyn James). Yn y ciw hefyd yr oedd bechgyn a ddeuai'n ffrindiau mynwesol, er i amser a phellter ein gwahanu maes o law, bechgyn a oedd i roi cyfrif da amdanynt eu hunain mewn gwahanol gyfeiriadau, Eirwyn Morgan (prifathro Coleg y Bedyddwyr Bangor a golygydd penigamp *Seren Cymru*), Alun Young (mab yr enwog Jubilee a chofrestrydd UWIST), Eurof Jones (gweinidog eglwys Annibynnol Pant-teg), W. Rhys Nicholas (llenor ac emynydd, golygydd *Y Genhinen* a gweinidog ffyddlon Porthcawl), D. J. Rogers (gweinidog ac athro yng Nghymer Afan), Douglas Evans (a dreuliodd ei holl weinidogaeth yn Senghennydd), Ifor Jones (brodor o'r Rhos, gweinidog gyda'r Annibynwyr yn Hen Golwyn, ac a fu farw yn rhy gynnar), Walford Llewelyn, Wernos Jones, Roberts Thomas, Enoc Isaac, Glyn Howell, D. J. Thomas, D. J. Williams, 'Glyn Williams, Tom Thomas, Glen Jones. Mae cofio amdanynt, gweld eu nifer, sylweddoli eu doniau, ac ystyried eu bod i gyd, ar wahân i un, Alun Young, yn diwyllio'u hunain ar gyfer y weinidogaeth, ac yr oedd hwnnw o ran dawn a diddordeb mor frwd â neb, yn siglo dyn i'w wreiddiau wrth sylweddoli fel y mae'r sefyllfa wedi newid a chapel ac oedfa a phulpud wedi colli eu hapêl.

Y pryd hwnnw, yr oedd cysgod dros yr Adran Gymraeg, canlyniad diarddel Saunders Lewis ac apwyntio Melville Richards yn ei le, gŵr yr oedd y blynyddoedd i'w ddatgelu i mi fel bonheddwr ac ysgolhaig gwylaidd iawn, ond yr oedd llawer o ragfarn a gwrthwynebiad o gwmpas yn gwneud y sefyllfa yn un anffodus i athrawon a myfyrwyr. Mae'n wir fod Dr Henry Lewis yn bennaeth yr adran, ond yr un a liniarai'r sefyllfa (yn ôl fel y teimlai fy nghyfeillion agos a minnau) oedd Dr Stephen J. Williams. Mae'n debyg mai'r rheswm am hynny oedd iddo ddod gymaint â hynny'n nes atom trwy wahanol amgylchiadau, ac er i *Chwedlau Odo* beri digon o gur pen i rai, yr oedd charisma a mwynder Dr Stephen J. yn fwy na lleddfu; bu ei gwrteisi tawel yn un o'r breintiau sydd wedi aros yn werthfawr yn ein golwg gydol y daith.

Go brin fod hynny'n wir am y darlithwyr i gyd, ac yr oedd ambell un o'r cychwyn yn codi gwrychyn a pheri gofid, ac ar ben y rhestr falle — peth personol hollol oedd hyn heb sail safadwy, mae'n siŵr — oedd yr Athro Heath, athronydd, gŵr bychan a nam ar ei gorff, bwndel o athrylith, miniog, craff, crafog, a ddechreuai'i ddarlith trwy enwi llyfr a gorchymyn ei fyfyrwyr i'w bwrcasu erbyn y bore wedyn. Yr oedd y gorchmynion costus hyn yn fy llorio'n llwyr, ac yr oedd ceisio dilyn darlith heb y gwerslyfrau, fel y bu'n rhaid gwneud sawl tro gan nad oedd sentan goch ar gael i'w pwrcasu, yn ddechreuad gofidiau.

Mae'n wir fy mod yn hen ffrindiau â gŵr ifanc mawrfrydig, Ralph Wishart, a gadwai siop lyfrau ail-law ar bwys gorsaf Abertawe, ac iddo fod yn fwy na hael yn *rhoi* rhai o'r llyfrau gofynnol imi, ond nid oedd modd yn y byd y gellid disgwyl i'r creadur gwrdd â phob un o'r gofynion yn rhad ac am ddim — a dyna unig obaith y fenter academig fel ag yr ydoedd! Cawswn lety gyda gŵr a gwraig di-blant yn eu cartref moethus yn yr Uplands, yr ystafell ganol yn llawn o glustogau a lluniau, bwrdd a chadeiriau crand, a lamp isel hylaw i fyfyrio fin hwyr. O, yr oedd yn odidog, wrth fy modd, fel byw mewn plas, ac nid oedd ond un cwmwl ar y gorwel, sut ar y ddaear i dalu bob wythnos am y lle! Pymtheg swllt! Dyma'r unig lety oedd ar gael yn y gymdogaeth, hyd y gwelwn, ac yr oeddwn wedi cytuno i rannu'r ystafell gyda myfyriwr arall, ond ni chymerodd y cyfaill ffansi ataf fi neu'r ystafell neu'r bobl, ac fe wnaeth drefniadau eraill!

Derbyniwn barsel o fwyd yn wythnosol o gartref, coron wedi'i lapio mewn papur rhwng y caws a'r menyn, a gwyddwn o'r gorau fod cariad a thosturi a chydymdeimlad a'r holl rinweddau Cristnogol wedi eu strejo i'r eithaf i wneud y parsel wythnosol hwnnw. Serch hynny, nid oedd unrhyw amheuaeth yn fy meddwl erbyn hyn fod oes y gwyrthiau wedi hen fyned heibio, ac er i bum torth a dau bysgodyn borthi pum mil unwaith, nid oeddwn i fel tipyn o stiwdent o dan yr un oruchwyliaeth yn Abertawe ac nid oedd yr un economi o bell ffordd yn gweithio bellach. Erbyn dydd Mawrth, er i wraig y tŷ lojin osod fy mwrdd yn hynod o ddestlus, lliain hardd a chyllyll a ffyrc, nid oedd gennyf odid ddim ar ôl o barsel Mam i'w roi ar y bwrdd. Ar ben hynny, nid oedd yn hawdd iawn i eistedd i lawr i sgrifennu traethawd ar Walter de le Mare, 'Time you old gipsy man', i'r Athro Thomas, a thraethawd i'r fendigaid Miss Robinson ar 'Elizabethan England', pan oedd fy meddwl mor brysur yn ceisio dyfeisio esgus am yr ail wythnos yn olynol ar gyfer gwraig y tŷ lojin pam na fedrwn dalu fy rhent — 'Don't worry, Mr Williams, I'm sure things will improve for you!' Nid oeddwn i'n rhannu ei hyder.

Pe bawn i'n medru cael cyhoeddiad ar y Sul, er nad oedd yr arian byth yn fawr, diamau y newidid yr holl sefyllfa, ond yr oedd dod o hyd i 'supply' yr adeg honno fel chwilio am aur ar dip glo yng Nglandŵr. Anfonais lythyr at bob eglwys debygol, amlen stampiedig ar gyfer ateb, ond pan ddigwyddwn gael ateb, un nacaol ydoedd, a'r rheswm am hynny'n ddigon syml — yr oedd digon o bregethwyr o gwmpas o bob siort a siâp, eglwysi'n gwneud rhestr pwy i wahodd, digon o ddewis ganddynt, a rhestr yn cael ei pharatoi am y flwyddyn.

Digwyddais sôn wrth Ralph Wishart am hyn o gyfyngder, a chyn pen eiliad yr oedd wedi fy nghyflwyno i ŵr bonheddig, 'This is Mr Powell, our editor, lovely man — how about helpin' my friend — he's a marvellous writer!' Cawsom sgwrs ddifyr, y tri ohonom, Ralph yn byrlymu o hiwmor a Mr D. H. I. Powell — coffa da amdano! — yn byrlymu o ewyllys da. 'Come and see me tomorrow! You can do some titbits for me!' Ac felly y bu, sgrifennu darnau a phytiau i lenwi ambell gornel o bapur newydd, *fillers*, a'r golygydd hynaws yn gofalu y cawn hanner coron am bob un. Ac yr oedd hanner coron yn golygu pum cinio ym Marchnad Abertawe, *faggots and peas*, neu bum cinio yn Woolworth's Cafeteria, *sausage and mash!*

Ond nid un ymdrech chwyslyd i gael deupen llinyn ynghyd yn unig oedd bywyd — falle yr *oedd* erbyn meddwl, ond ni chaniatawn iddo fod neu i fennu arnaf! Deuthum yn gyfeillgar ag un o ddarlithwyr mwyaf cyfareddol y coleg, Thomas Taig, gŵr o Ysgotyn diwylliedig wedi'i drwytho ei hun yn y theatr, ei sgwrs bob amser ar ganol priffordd fy holl ddiddordeb, a'i ddiddordeb yntau yn y theatr fach newydd yn y dref. Pan welodd mor frwd oeddwn innau yn yr un cyfeiriad, cefais wahoddiad cynnes i'r cwmni, a daeth mynychu'r nosweithiau darllen a'r ymarferiadau yn help mawr i wneud bywyd yn oddefol. Darllenais rannau mewn nifer o ddramâu na wyddwn ddim amdanynt cyn hynny, gwrandewais ar Thomas Taig yn eu dadansoddi, ac y mae'r atgof am gastio *The Insect Play* wedi aros, un o'r profiadau pwysig hynny sy'n glynu. Yn y cwmni hwn y deuthum yn gyfarwydd â gweithiau Jack Jones, *Bidden to the Feast, Rhondda Roundabout*, awdur yr oedd gan Taig feddwl uchel ohono. Ymhen blynyddoedd yr oeddwn i ddod i 'nabod Jack yn dda, wrth fy modd yn ei gwmni, gan sylweddoli mor gywir oedd Thomas Taig yn ei farn amdano. Ar lawer ystyr, Jack Jones oedd un o arloeswyr yr Eingl Gymry, fel y'u gelwir, er na fedrwn weld erioed fawr o ystyr na phwrpas i'r enw, gan nad oedd unrhyw amheuaeth am Gymreictod Jack er iddo sgrifennu yn Saesneg, ac y mae'r un peth yn wir am nifer eraill fel Gwyn Jones, Glyn Jones, Emyr Humphreys, Harri Webb a'u tebyg.

Digwyddais gael cyhoeddiad tua'r adeg hon men eglwys Saesneg yn y Gorllewin, heb imi fanylu mwy na hynny, ac yr oeddwn wedi gwneud pregeth newydd, 'Yn y dechreuad yr oedd y gair', arlwy o'r pethau newydd a glywswn o enau

Thomas Taig, Miss Robinson, a'r Athro Heath, a'r cwbl yn barsel wedi'i glymu â rubanau hardd fy awen delynegol fy hun. Hon, yn wir, a draethais i'r saint yn y Gorllewin, ac yr oedd gennyf syniad fy mod wedi gwneud argraff, heb fod yn rhy siŵr pa fath o argraff oedd honno. Meddai un o'r brodyr ar y diwedd ar ôl diolch i mi, 'Very interesting, I must say, but — pardon me saying it! — what's that got to do with the Gospel?' Cydiodd yn fy llaw yn ddigon cyfeillgar. 'Think about it! You've gone astray somewhere.' Wel, nid oeddwn yn rhy hoff o feirniadaeth, yr hyn a garwn oedd canmoliaeth ar ddiwedd oedfa, ond . . . falle bod y brawd hwn yn dweud y gwir! Falle? Na, yr oedd y brawd hwn *yn* dweud y gwir.

Yn fy ngwely y noson honno, bûm yn adolygu'r sefyllfa yr oeddwn ynddi . . . Nid oedd capel nac enwad na'r weinidogaeth a osodwyd yn nod o'm blaen mwyach yn debyg i'r hyn a feddyliaswn ar y cyntaf. Rhyw fyd bach cul a pharchus ydoedd, gwerthoedd arwynebol, ofergoelion dosbarth canol, meithrin rhyw ffug dduwioldeb, a dim affeth o ddiddordeb mewn llên a chelfyddyd a theatr, y pethau a ddyry farc gwareiddiad ar bobl. A pha ddiddordeb gwirioneddol oedd gan enwad mewn creadur o stiwdent, o ran hynny, onid oedd ganddo addewid academig eithriadol a nodau confensiynol ei rywogaeth? Dau enw llachar yn yr wybren y pryd hwnnw gyda'r Bedyddwyr oedd Walter John ac Ithel Jones, dau yr oeddwn i'w 'nabod yn dda a'u hedmygu. Rhannodd Walter ac Ithel oedfa yn Undeb Abertawe 1934, dau ifanc a golygus a dawnus, ac aeth y ddau yn arwyr i'r enwad. O, yr oeddwn innau'n chwennych yr un poblogrwydd ac yn eiddigeddus, ond gwyddwn o'r gorau erbyn hyn nad oedd siawns yn y byd gennyf! Rhywun i'w lygadu'n ofalus oeddwn, rebel bach i'w gornelu, a pha le bynnag yr awn a pha beth bynnag a wnawn yr oedd ysbïwyr o gwmpas yn chwilio am bob ysgrepyn o dystiolaeth i'm herbyn. O leiaf, dyna fel yr ymddangosai i mi pan archwyd fi i ymddangos o flaen pwyllgor ymgynghorol.

Ystafell fechan heb un ffenest (i bob golwg), goleuadau melyn ymlaen ar hyd y dydd, seddau fel capel mewn cylch a'r llwyfan ar i lawr, cadeirydd y pwyllgor mewn cadair fawr gerfiedig fel barnwr mewn llys, yr ymgeisydd ar yr un lefel mewn cadair fechan, a'r gynulleidfa o bwyllgorwyr i gyd yn edrych i lawr arno. Edrychais o gwmpas. Gallaf weld yr olygfa o hyd a theimlo'r pryder o hyd. Y pennau moel, yr wynebau dwys, y llygaid trist, a phob un yn edrych i lawr arnaf fi. Gallaf glywed y distawrwydd o hyd, dwfn a dychrynllyd, llawn o farn a dedfryd, anochel, tyngedfennol. Yr oeddwn o flaen fy ngwell, pob un ag achos yn fy erbyn, un ddedfryd yn unig yn bosibl, euog, er na wyddwn ar y ddaear beth oedd fy nhrosedd. Er yr adwaenwn nifer o'r dynion a'm hamgylchynai, fy nghyfarch wrth fy enw bedydd bob tro ganddynt, yn awr yr oeddwn yn 'Mr Williams' dieithr a phell, ac afradlon ar ben hynny, yn ôl sŵn pethau.

'Gawn ni air o weddi gynta cyn holi Mr Williams?' meddai'r cadeirydd, gan nodio ar un o'r brodyr.

Gwrandewais ar y weddi frawychus honno a'm calon yn curo yn uwch na llais y gweddïwr. ' . . . ddyfod ger dy fron yn sobr ac ystyriol . . . yr wyt Ti yn ein barnu yn ôl ein difrifoldeb . . . nid peth i chwarae â hi yw'r alwad nefol . . . gwared ni rhag cael ein hudo gan bethau gwag y byd . . . ein temtio oddi ar lwybr gras . . . dysg ni i ufuddhau . . . byhafio . . .' — a phawb yn cael blas mawr ar yr erfynion sobreiddiol hyn a barnu wrth yr amennau a atseiniai yn erbyn y muriau pruddaidd! Mae'n amlwg yr anelid y weddi hon er fy lles a'm hadeiladaeth, ond ni fedrwn yn fy myw fy ngwaredu fy hun o'r ymdeimlad fod y dyn bychan duwiol a charcus hwn fel pe'n cario clecs amdanaf at yr Hollalluog, ac yn poeni fwy am blesio'r pwyllgor na hyd yn oed y Brenin Mawr.

''Rydan ni wedi gofyn i Mr Williams ymddangos ger bron y pwyllgor, nid o unrhyw fwriad i'w feirniadu na'i geryddu, dim ond i weld — i weld os y gallwn ei gyfarwyddo falle . . .'

Yr oedd yr amennau a'r ie-ie yn atseinio eto fel hwteri pwll y Swamp ys llawer dydd.

'Falle mai doeth fydda gofyn i Mr Williams ddweud gair o'i brofiad . . .'

Pawb yn cyd-weld, wrth gwrs. Disgwyl rhagor o glecs falle, meddyliais.

'Profiad?' atebais, yn bur anesmwyth, ' 'Dw i ddim yn deall.'

'Ddim yn *deall?*' Yr oedd nifer o'r llygaid o'm cwmpas yn syn. 'Ddim yn deall *beth* , Mr Williams?'

'Ddim yn deall eich meddwl, syr,' atebais yn gwrtais ddigon.

Cefais ateb buan a braidd yn ddiamynedd, 'Eich profiad! Profiad o'r Gwaredwr! Profiad o'r Efengyl! Profiad o ras Duw! Y profiad a'ch cymhellodd i fynd am y weinidogaeth, Mr Williams!'

Sut ar y ddaear yr oeddwn i ateb yr ymholiadau hyn i'm bywyd mewnol? A oeddwn i gega'n dduwiol a diystyr ger eu bron, dyfeisio profiadau nad oedd gennyf yr un amgyffrediad ohonynt, llunio a lliwio rhyw oriau dyrchafedig o ysbrydolrwydd na bu fy nghnawd na'm henaid o fewn cyfandir iddynt? Mewn gair, a oeddwn i ddweud celwyddau wrth y pwyllgor hwn, ffugio a ffalsio er mwyn cymeradwyaeth, a datgan pethau nad oeddwn ac na fedrwn dros fy nghrogi eu credu? Nid oedd yn fy neunydd i wneud hynny, er y gwyddwn o'r gorau pa drafferthion ac anawsterau a ddilynai trwy wrthod gwneud.

'Mae'n anodd iawn,' atebais.

'Pam anodd, Mr Williams?' Bu saib hir a beichus tra disgwyliai'r pwyllgor am fy ateb.

'Am nad oes gen i brofiad fel 'na o gwbl.'

'Ddim profiad fel 'na o gwbl?' Yr oedd y syndod yn beth y gellid ei dorri â chyllell.

'Ddim profiad fel 'na o gwbl,' mentrais yr ail waith.

'Bobol bach, mae'n anodd gwybod sut y gall gŵr ifanc wynebu ar waith y weinidogaeth *heb* brofiad fel 'na, Mr Williams!' oedd yr ateb chwyrn.

'Pe bawn i'n honni fy mod wedi cael y profiadau yr ydach chi'n chwilio amdanynt, mi fyddwn i'n —' Brethais fy nhafod.

'Dowch, dowch, Mr Williams! Peidiwch ag ofni!' cymhellai'r cadeirydd.

' — gelwyddgi!' meddwn i. Edrychais o'm cwmpas unwaith eto, yn teimlo'n gywir o hyd fel anifail diymadferth wedi'i ddal gan fytheiaid, a dim siawns yn y byd i osgoi eu dannedd. Beth *ddylwn* i wneud? Beth *fedrwn* i wneud? Pe bawn i'n codi ar fy nhraed a dweud wrth yr hen rabbiniaid hunangyfiawn hyn na chwenychwn unrhyw brofiadau a fyddai'n debyg o'm gwneud yr un fath â nhw, gwrthun i mi eu syniad o grefydd ac efengyl, a'r holl fusnes o bregethu yn ôl eu patrwm nhw yn ddim ond malu awyr ac mor aneffeithiol â iar ar ben y domen! — Wel, fe godai'r cadeirydd i roi taw arnaf cyn pen fawr o dro, ac nid oedd yr huotledd a ferwai oddi mewn i mi yn gwbl deg, ond — ni fedrwn wadu nad oedd rhai o'r pethau a deimlwn y munudau terfysglyd hyn ond yn rhy wir.

Wrth edrych yn ôl, nid yw'n anodd sylweddoli mai'r hyn oedd yn digwydd, i raddau helaeth iawn, oedd rhyw fath o ddiffyg traul ar ôl darllen llawer o'r deunydd yr oeddwn yn cael blas arno ers tro byd bellach. Yr oedd elfen o wleidyddiaeth yn perthyn i bob sgwrs a phregeth, er na feiddiwn y pryd hwnnw (mwy nag y gwnaf heddiw) fy ystyried fy hun yn wleidydd o fath yn y byd, na chennyf unrhyw uchelgais i fod yn wleidydd. Yr oedd fy nghydymdeimlad yn llwyr i'r chwith, a dylanwad Marcsaidd yr hen gyfaill Fred Bridge yng Nghaer yn dal i gymhlethu hynny, gan y teimlwn am y Blaid Genedlaethol yn union fel y teimlwn am yr enwadau a'r capelau mai byddinoedd y dosbarth canol oeddynt. Ni feddwn unrhyw awydd i gymryd rhan ymarferol mewn gwleidyddiaeth a'r unig fath o weithgarwch crefyddol a apeliai ataf oedd pregethu, ac yr oedd yr hen ddyrnu ffwndamentalaidd ar ben bocs sebon gyda W. R. Jones a ffyddloniaid y *City Mission* a hyd yn oed y seiadwyr ystrydebol fel yr hen Rees y Grosar — ' 'Roeddwn i'n dod i'r cwarfod 'ma heno, gweld yn ffenest y siop, *Cherry Blossom, Brightens the World*! Wel, dyna beth ydan ni, pobl y capelau, Cherry Blossom yr Arglwydd — brightens the world! Bobol bach, 'dw i ddim yn gwbod ble wy'n cael y meddyliau mawr 'ma!' — wedi hen golli pob apêl i mi. Yr oeddwn yn filwriaethus iawn fy *agwedd*, ond dyna'r cwbl. Am wn i nad yr *agwedd* oedd bwysicaf, dyna pam mai beirdd a llenorion oedd yn gwneud y datganiadau mawr gwleidyddol y pryd hwnnw, pobl fel Auden, Spender, Isherwood, Forster ac Orwell yn Lloegr a W. H. Reese ac eraill yng Nghymru, er i Sbaen beri i rai fel Wintringham a John Cornford gymryd arfau, lle y bu Cornford farw. Ond yr oedd darllen y bobl hyn yn argraffu ar feddwl mor angenrheidiol oedd *gwneud* rhywbeth, er nad oedd gennyf (fwy na rhai ohonynt hwy) syniad yn y byd beth, ond yr oedd llinellau rhai ohonynt yn siglo i'r seiliau —

> 'Spain was a death to us . . .'
>
> 'For men are changed by what they do;
> and through loss and anger the hands of the unlucky
> love one another . . .'

Yr oedd barddoniaeth Gymraeg eisteddfodol yn fy nharo'n bur siwgraidd ac ansylweddol mewn cymhariaeth â phethau fel hyn, a'r agwedd gapelaidd fel holl batrwm y capelau yn ddof a sâff hyd at syrffed. Dechreuais wisgo crysau coch a du, trowser cordoroi, lifrai'r rebel — gwrthododd fy nhad gerdded y stryd gyda mi! 'Wn i ddim be ddaw ohonot ti, gwisgo fel hyn, dwyn cywilydd ar dy deulu!' Ni fentrais ei ateb, er mai adwaith feiddgar a phryfoclyd oedd hyn ar fy rhan i'r wisg bregethwrol a welwn ar rai o'r cewri ifanc newydd, rhyw gymysgedd o Seion a'r sinema, a dim yn fwy hanfodol i fod yn gymeradwy yn rhengoedd Anghydffurfiaeth na gradd ddwbl a theiliwr da.

Meddai cadeirydd y pwyllgor ymgynghorol hwnnw, 'Sut fyddwch chi'n paratoi ar gyfer gwaith y Saboth, Mr Williams?'

Unwaith eto, ni fedrwn ond dal fy anadl yn fud, cyn stytran, ' 'Dw i ddim yn eich — deall, syr!'

Siglodd y cadeirydd ei ben a thaflodd lygad o syndod ar rai o'r preladiaid pruddaidd ar ei bwyllgor. Meddai, 'Mae'r cwestiwn yn ddigon syml — sut fyddwch chi'n treulio nos Sadwrn cyn y Saboth?' Bu eiliadau o ddistawrwydd mawr. Meddai wedyn, 'Fel mater o ddiddordeb, sut ddaruch chi dreulio nos Sadwrn diwethaf?'

Fel y digwyddai, pregethais ar y Sul am ddim yn un o gapelau Wesleaidd dinas Caer (nid oedd y Wesleaid yn credu mewn talu), a threuliais y nos Sadwrn cyn hynny ar yr aelwyd gartref yn darllen a swpera gyda'm rhieni — 'roedd fy rhieni wedi hen arfer â gwneud dipyn o wledd, llond sosban fawr o gawl trwchus a blasus, a chlamp o darten fala dan fôr o gwstard yn dilyn! Atebais, 'Gartre yn darllen.'

'Darllen beth, Mr Williams?' holodd y cadeirydd yn union fel pe bai ar drywydd rhywbeth tyngedfennol.

Atebais yn onest unwaith eto, '*Brave New World*, Aldous Huxley!'

Gwyddwn gynted yr oedd y geiriau allan o'm genau fy mod wedi 'troi'r drol', chwedl fy nhad.

'Huxley!' dywedodd y cadeirydd fel un a blas drwg ar ei dafod, '*Dyna'r* math o bethe fyddwch chi'n 'u darllen cyn pregethu ar y Saboth?'

Ni fedrwn yn fy myw ddeall yr ensyniad. 'Pam? Oes rhywbeth yn — rong?'

'Anffyddiwr!' meddai'r cadeirydd, nifer o'r pennau o'i flaen yn cyd-weld ag ef, 'Go brin y gall anffyddiwr fod o help i baratoi meddwl pregethwr ifanc ar gyfer Dydd yr Arglwydd!'

Gallwn deimlo'r llif yn mynd yn fy erbyn, a chan nad oedd dim o'm blaen ond boddi, bernais nad oedd gennyf ddim i'w golli trwy agor fy ngheg a dangos fy nannedd o leiaf. 'Ydach *chi* wedi darllen *Brave New World*, syr?' mentrais.

'Naddo, wir! A wnawn i ddim chwaith — a does neb yn fwy hoff o ddarllen na fi!' oedd yr ateb dig, a thôn y llais yn awgrymu nid yn unig nad oedd gennyf unrhyw fusnes i ofyn y fath gwestiwn, ond nad oedd gennyf unrhyw fusnes i lefaru o gwbl.

'Os gaf i ddweud,' mentrais, doed a ddelo, 'fe wna'i les i bawb sydd yn bresennol i ddarllen *Brave New World* cyn pregethu!'

Yr oedd y llygaid enwadol i gyd arnaf erbyn hyn. Meddai'r cadeirydd, 'Diar, diar, Mr Williams, mae'n well i chi esbonio!'

'Mae Huxley yn sôn am y dyfodol a datblygiad, nid peth mecanyddol ydyw, a gall optimistiaeth ein camarwain, syr!' atebais.

Clywais un gŵr yn sisial wrth y llall, 'Dyma'r nonsens sydd wedi drysu'r crwt 'ma!'

'Begian eich pardwn, syr!' mentrais, gan bwyntio at y gŵr, ' 'Dw *i* ddim wedi drysu!' Yr oedd yr ymdeimlad o ragfarn wedi fy ngorchfygu. ' 'Dw i ddim yn debyg o gael fy nrysu gan syniadau Huxley —' ac yr oeddwn ar fin ychwanegu '— mwy na chan eich *diffyg* syniadau chi!' Daliais fy nhafod, gan obeithio y gellid adfer rhyw gymaint o ffafr o'm plaid.

'Diolch yn fawr am eich presenoldeb, Mr Williams!'

meddai'r cadeirydd, a chyhoeddodd y fendith apostolaidd, 'Gras ein Harglwydd —' ac ni theimlais y geiriau gwych hynny'n bellach i ffwrdd oddi wrthyf erioed yn fy myw.

Afiechyd

Bore braf, yr haul yn gwenu'n euraid ar dref a bae Abertawe, yr awel yn dyner ac iraidd, a phawb yn camu'n hoyw o'm cwmpas fel pe'n llawenhau bod bywyd yn werth ei fyw. Yr oeddwn ar fy ffordd i'r coleg, mynd heibio i gae San Helen lle y bu un o'm cydfyfyrwyr yn gwneud ei gampau prynhawn Sadwrn, Haydn Tanner, (fe gawn yr hanes i gyd ganddo yn yr ystafell gyffredin toc), ac yr oedd clystyrau o fyfyrwyr o'm blaen ac o'm hôl yn mynd i'r un cyfeiriad. Math o fore i beri i'r ifanc freuddwydio, meddwl am y dyfodol, disgwyl pethau gwych i ddyfod, ac nid oeddwn i fwy na'r rhelyw o'm cenhedlaeth oedd ar y ffordd yn awr i'r coleg swil, Fictoraidd yn y coed heb wneud hynny, er ein bod ar yr un pryd yn synhwyro byw mewn hen fyd digon ansicr. Ychydig flynyddoedd yn ôl, yr oedd yr Ymerodraeth Brydeinig wedi dathlu chwarter canrif y Brenin Siôr a'i Frenhines, ond cyn i'r baneri gael eu tynnu i lawr o'r bron, yr oedd yr un ceffylau a cherbydau yn cludo corff y brenin i'w hir gartref. Cofiwn yn dda fel yr oedd llawer o Gymry, capelwyr selog yn eu mysg, wedi gwisgo mwrnin am hydoedd wedyn. Ar waethaf pob math o ddiweithdra a chyni a therfysg cymdeithasol, gwelid yn amlwg y pryd hwn fod gan y fonarchiaeth rhyw afael anhygoel ar y bobl. Yna, daeth ergyd a ddylasai brofi'n farwol i'r teulu brenhinol pan gyhoeddodd yr etifedd i'r orsedd, Edward VIII, cyn teyrnasu ohono ond ychydig fisoedd a chyn i'r un utgorn chwythu na'r un archesgob draethu gair i'w goroni, ei fod wedi syrthio mewn cariad â gwraig briod o Americanes, Mrs Simpson, a chan nad oedd Mr Baldwin a'i lywodraeth yn debyg o roi eu bendith ar yr uniad, yr oedd am daflu coron yr Ymerodraeth fawr Brydeinig ymaith a thynnu clogyn ei awdurdod imperialaidd oddi ar ei ysgwyddau mor ddi-gownt ag y sathrai'r carped dan ei draed. Do, fe daerodd ei fam a'i frodyr a'i weinidogion ag ef i ddarbwyllo, ystyried o ddifrif yr hyn a wnâi, ond yr oedd Mrs Simpson wedi brathu'r brenin yn rhy ddwfn, a chiliodd allan o fywyd ei deyrnas fel rhywun dan gysgod cywilydd dros byth.

Sut bynnag, er cymaint y sioc a'r siom, yr oedd gan bawb ddigon o bethau eraill ar y ffordd i bryderu yn eu cylch, ac nid oedd y cymylau trwchus hyn heb daflu cysgod ar fywyd pob stiwdent bach breuddwydiol pa mor wanwynol bynnag y boreau fel y bore y soniaf yn awr amdano. Pan ddaeth llais Edward dros y radio (di-wifr, y pryd hwnnw) i hysbysu'r bobl o'i fwriad yr oeddwn mewn cwmni o Gymry afieithus yng Nghaer yn rihyrsio drama Gymraeg, *Y Ciwrad yn y Pair* — Megan James Evans, gwraig lengar y mae fy nyled yn fawr iddi hi a'i gŵr, John Bala fwyn, Emrys Williams Blaenau Ffestiniog (ewythr diwylliedig y bardd Gwyn Thomas), O. T. Williams, clamp o fonheddwr ac actor comedi penigamp), ac yr oedd yn waredigol o'r bron fy mod yn y fath gwmni ar y fath achlysur a minnau'n byw yng nghanol llawer iawn o Saeson a Chymry Prydeinig iawn eu hagwedd. Yn y cwmni hwn, rhwng holl hwyl a direidi ein rihyrsio dramatig, y cefais grap ar bicil y byd, rhyw fath o drefn ar syniadau, digon o dynnu coes i beri i mi amau ambell safbwynt a'm hudai, a digon o ddadlau ffyrnig am y byd a'r betws o seiliau Ffasgaeth i sonedau Williams-Parry. Yma y bu'r trafod am Abyssinia a gorymdeithio mawreddog Mussolini, cyfrwystra Baldwin yn aberthu ambell un o'i weinidogion er mwyn sefydlu'r Anthony Eden ifanc, ac arwyddocâd arfogi'r Almaen a meddiannu'r Rhein, difodi cytundeb Locarno, a'r cytundeb a wnaed rhwng Ffrainc a Rwsia, cyn i'r Almaen ddechrau dychryn y byd trwy feddiannu Awstria ac ymosod ar Siecoslofacia — y math o arswydon a wnâi ein bywyd yn gilwgus y bore hwnnw wrth i'r haul wenu'n hael a diniwed ar ein llwybr i'r coleg yn y coed!

Cofiaf y bore arbennig hwn mor glir am i rywbeth ddigwydd a'm dychrynodd yn fwy na phwyllgor ymgynghorol na byddinoedd a bomiau bygythiol y byd; fe gerddwn ar y llwybr a arweiniai at borth y coleg pan deimlais, heb rybudd yn y byd, chwys oer yn dylifo drosof, fy mhen a'm pengliniau'n simsanu, ac er imi gydio yn y rheilin am fy mywyd, ni fedrwn fy achub fy hun rhag y teimlad o hedfan fel pluen i bellterau anymwybodolrwydd. Ni thybiaf i mi fod yn hir ar fy hyd, ond y peth nesaf a wyddwn yr oedd pobl o'm cwmpas yn tendio a thosturio, ac o dipyn i beth adferais ddigon i fedru sefyll ar fy nhraed yn edrych fel y galchen ac yn teimlo cyn wanned â llo newydd-eni a'r un mor wlyb. Prysurais yn ôl i'm llety — un newydd erbyn hyn, Trafalgar Terrace, ar lan y môr — a gorweddais ar fy ngwely weddill y dydd yn ofni symud gan y teimlwn fy nghalon yn curo fel drwm bob symudiad.

Beth ar y ddaear oedd wedi digwydd? Beth bynnag ydoedd, credwn yn siŵr imi fod yn bur agos at farw; nid oeddwn yn ddiogel eto, ac yr oedd meddwl am y peth yn fy nychryn i wallt fy mhen. Nid oeddwn yn *barod* i farw! Nid oeddwn wedi bwyta fel y dylwn, ni *fedrwn* fwyta fel y dylwn, a diau nad oedd bod heb bryd sylweddol am ddyddiau a cheisio gweithio yn ôl y gofyn wedi creu'r sefyllfa. Y peth gorau, meddyliais, oedd ei gwadnu adref mor fuan ag y medrwn, wfft i goleg, wfft i bwyllgor, wfft i'r weinidogaeth, wfft wfft wfft i bawb! A'r bore wedyn, yr oeddwn ar fy ffordd.

Arferwn wneud y daith o'r Gogledd i'r De a'r De i'r Gogledd ar y bws, a hynny am y rheswm syml ei bod yn rhatach o lawer, ond y tro hwn dechreuais edifarhau am fod y bws yn cymryd oriau yn fwy na'r trên a minnau'n dyheu am gael cyrraedd. Ar brydiau, yr oedd y ffyrdd yn gwrs a charegog gan beri i'r bws ysgwyd ac ysgytio mewn modd a achosai lawer o anesmwythyd, a chofiaf yn dda ar ambell drofa a serthedd mor anodd oedd anadlu. Nid oeddwn hyd yn hyn wedi gweld meddyg, y syniad o dalu ymweliad ag un a'i weld yn rhoi ei stethosgop arnaf, byseddu fy nghnawd ac archwilio fy llygaid, yn waeth na'r anhwylder, beth bynnag ydoedd, ond medrwn ddeiagnosio fy hunan yn ddigon da i wybod bod fy nerfau'n yfflon a'm 'daearol babell', chwedl fy mam, wedi dod i ben ei thennyn.

Braf oedd cyrraedd gartref. Wrth weld y drws ffrynt a mam ar y trothwy teimlais yn well ar unwaith. 'Gwely amdani!' meddai hi, ar ôl gweld fy ngwedd, a chyn pen fawr o dro yr oeddwn rhwng y dillad a'm corff argyfyngus yn dadluddedu. Medraf gofio yn awr y teimlad wrth i'r cyhyrau ymlacio a'r gwendid fy ngadael yng nghlydwch glân y gwely. Hen feddyg a fu gynt yn y fyddin oedd Dr Owen, mor frathog a difanars â sarjan-mejor, ond yn deall ei waith i'r blewyn.

Wrth wrando ar fy nghalon a phrocio fy mol, gofynnodd dan ei anadl yn ddigon swrth, 'Be ddiawl ydach chi wedi bod yn 'i neud?'

Ni fentrais am eiliadau unrhyw fath o ateb. 'Wedi bwyta rhywbeth,' meddwn i ymhen sbel, a'r meddyg yn dal i archwilio'n ddyfal.

'*Byta* rhwbeth, y diawl bach!' taranodd, ' 'Dwyt ti ddim wedi byta diawl o ddim, dyna'r gwir!' Cerddodd i lawr y grisiau i'r gegin a chlywn ef yn parablu'n fân ac yn fuan.

'Diolch yn fawr, doctor!' meddai fy mam, cyn cau'r drws ar ei ôl.

'Beth ddwedodd y meddyg?' holais pan ddaeth fy rhieni ataf.

'Aros di yn y gwely 'na 'machgen i,' gorchmynnodd fy nhad 'anghofia'r coleg a'r llyfra diawl 'na, a dechra byta i roi cnawd ar dy esgyrn!' Gwyddwn bod fy nhad wedi cael yr union dystiolaeth a fynnai i gefnogi'i syniad fy mod 'yn byw bywyd afiach i fyny'r llofft 'na' ac yn niweidio fy iechyd trwy gadw fy mhen 'yn y llyfra 'na o hyd'.

Pilsen. Moddion. Y bwrdd bach gwiail. Llyfrau. Lamp. Lluniau. Dydd ar ôl dydd. Nos ar ôl nos. A'r nos — (O Dduw, pa fodd y bydd imi fyth anghofio'r nos!) Nos ar ôl nos. Pilsen. Moddion. Y bwrdd bach gwiail. Llyfrau. Lamp. Lluniau. Dydd ar ôl dydd. Nos ar ôl nos. A'r nos — (O Dduw, pa fodd y bydd imi anghofio'r nos!)

Pan fo'r sêr yn diffodd . . .

Pan fo'r distawrwydd ar daen . . .

Pan fo'r tywyllwch yn teyrnasu . . .

Anadlu. Dyfalu. Ofni. Gweddïo. O Dad trugarog . . .

Cwsg.

Mygu. Eistedd i fyny. Dyfalu. Ofni. Gweddïo. O Dad trugarog . . .

Ar hyd y nos.
Pan fo'r sêr yn diffodd . . .
Pan fo'r distawrwydd ar daen . . .
Pan fo'r tywyllwch yn teyrnasu . . .
Nes tyr y wawr . . .
Y wawr.

Amser Rhyfel

Erbyn i mi fod yn ddigon cryf i feddwl am ailgydio yn fy ngyrfa, yr oedd Mr Chamberlain wedi dychwelyd o'r Almaen yn addo 'heddwch yn ein cenhedlaeth' ar sail darn o bapur a lofnodwyd gan Hitler, ond bu'n rhaid iddo dynnu'i eiriau yn ôl cyn pen fawr o dro, gan gyhoeddi y Saboth tyngedfennol hwnnw ryfel rhwng Prydain a'r Almaen.

Aeth y goleuadau i gyd allan, sacheidiau tywod wedi eu clymu wrth byst y lampau, a phawb a'i fwgwd a'i gerdyn bwyd a'i gerdyn adnabod. Diflannodd y bobl ifanc o'r gymdogaeth, weithiau'n unigol, weithiau'n heidiau, a daeth wynebau newydd ac acenion newydd yn eu lle, bechgyn a merched, y Fyddin a'r Awyrlu, a phlant bach Lerpwl yn fyseidiau i'w hymgeleddu yn y tai, dieithriaid ymysg dieithriaid, ond y dieithrwch yn cael ei anghofio a'i ddileu mewn eiliad gan fod y peryglon yn gyffredin a bywyd pawb mewn perygl. Chwyrnai'r seiren yn sydyn, ffoai pobl a phlant am ddihangfa, rhedai'r plismyn a'r gwarchodwyr o gwmpas yn ordro pawb dan do, a deuai rhyw ddistawrwydd oer dros y byd a dim i'w glywed i'w bedwar ban ond yr un awyren anweledig yn yr entrychion yn pwran fel cath fawr felltigaid yn y nen.

Ni bu'n hir cyn i'r argyfwng effeithio ar ein teulu ni. Daeth llythyr yn gorchymyn fy mrawd i restru. Fe'i dilynwyd gan lythyr arall yn ei orchymyn i ymuno â'r Llynges yn Plymouth. Bu'n brentis beiriannydd, deallai berfeddion y peiriant deisel, ac nid oedd ganddo fawr o ddewis ond ymuno â'r llongau tanfor. Deunaw oed, tal a chadarn a golygus, newydd ddechrau cael blas ar ei fywyd ifanc, bu'n rhaid iddo gefnu arno am fyd a bywyd newydd — 'Paid â gofidio,' meddai 'nhad, 'pharith yr hen ryfel 'ma ddim yn hir!' Rhoddodd fy mam bethau fy mrawd

Fy mrawd.

yn daclus. 'Sut wyt ti'n gwbod hynny?' holodd mam, yn amheus. 'Ma Hitler wedi brathu mwy nag y gall lyncu, rhoswch i'n bechgyn ni gael gafal arno, fe ddaw'r hen gythral i'w goed!' — 'roedd 'nhad yn hen soldiwr a chanddo ffydd fawr yn 'bechgyn ni'!

Ni phylodd yr atgof am hebrwng fy mrawd y bore trist hwnnw cyn belled â Wrecsam, mynd am bryd o fwyd i gaffe yn llawn o filwyr, ordro plataid o sglodion a physgodyn, esgus bwyta a mwynhau, a chrafu am friwsion o sgwrs i gelu'r gofid a'r amheuon a'r ofnau a'r torcalon. Pan ddaeth y trên i'w gymryd ymaith, seiniodd y seiren draw yng Nghaer, ac yn yr ansicrwydd hwnnw y ffarweliasom â'n gilydd, gan ryw ddyfalu ein bod yn gwahanu am weddill ein dyddiau.

Ni bu ond ychydig wythnosau wedyn cyn i lythyr gyrraedd yn gofyn i minnau restru.

'Paid â mynd!' meddai mam, yn newid ei gwedd bob dydd wrth ofidio am fy mrawd ar y môr.

'Mi gaf fod yn rhydd,' atebais yn ceisio'i chysuro, 'i orffen fy nghwrs.'

Cerddais i'r gyfnewidfa lafur, sefyll yn y ciw hir, cyn egluro wrth y clerc fy mod yn fyfyriwr am y weinidogaeth ac ar ganol fy nghwrs, ac eglurodd yntau ei fod yn ofynnol i mi gael llythyr gan awdurdodau fy enwad i'r perwyl hwnnw. Sgrifennais yn syth. Derbyniais lythyr gyda'r troad yn fy hysbysu na fedrai'r pwyllgor weld yn dda i'm cydnabod fel myfyriwr rheolaidd am y weinidogaeth mwyach gan awgrymu'n gynnil y gallasai dipyn o ddisgyblaeth brofi'n llesol. 'Paid â mynd!' meddai mam yn daerach, gair wedi cyrraedd bod llong fy mrawd ar goll, ond nid oedd mor hawdd ei chysuro'r tro hwn.

Erbyn dechrau'r tymor newydd, llwyddais i gael lle ym Mangor, er nad oedd gennyf syniad sut ar y ddaear yr oeddwn i fodoli, dim nawdd, dim rhagolygon, ond rhyw led obeithio y medrwn gael dau pen llinyn ynghyd yn y Gogledd gystal o leiaf ag a wnes yn y De. Bûm yn ddigon ffodus i gael llety gyda gŵr a gwraig ifanc, Mr a Mrs Wil Ashton, Hirael, nid llety chwaith, ond cartref oddi cartref, a chychwyn cyfeillgarwch sydd wedi para oes. Yn anffodus, bu Wil Ashton farw'n ifanc, ond llwyddodd Maggie yn ddewr i gynnal ei chartref a magu ei phlentyn, Enid, sy'n briod erbyn hyn â'r Dr Tom Pritchard, ysgrifennydd y Warchodfa Natur. Bûm yn ddigon ffodus hefyd i gael cyd-letywr, llanc o'r wlad, Gwytherin, a oedd yn wir ran o'r hwyl a'r gwmnïaeth, Wil Williams, gŵr sy'n adnabyddus bellach fel y Parchedig William Williams M.A., Machynlleth, a'i gariad, Myfi, yn adnabyddus fel Myfi Williams, yr awdures.

Synhwyrwn o'r cychwyn nad oedd fy ngyrfa ym Mangor i fod yn hir na llewyrchus, er nad oeddwn am gynnig awgrym o hynny i nac athro na myfyriwr na neb, dim ond rhygnu arni gyhyd ag yr oedd hynny'n ariannol bosibl a derbyn pa fendithion bynnag a ddeuai i'm rhan trwy hynny o ddyfalwch — eistedd wrth draed Williams-Parry, gwrando ar Syr Ifor Williams, bod yn nosbarth (Syr) Tom Parry!

Ymunais â dosbarth drama Cynan yn y Llyfrgell trwy'r llyfrgellydd ifanc, W. R. Owen, un hael fel Ralph Wishart yn Abertawe, a'm cynorthwyodd i gael llyfrau heb orfod eu prynu. Doed a ddelo, nid oeddwn am golli yr un o ddarlithiau Cynan, yr oedd yn union fel bod yng nghwmni Thomas Taig gynt, a chefais fynediad i fyd newydd pan ddaeth â nifer o storïau a dramâu a gyfieithiwyd gan Dr Hudson Williams o'r Rwseg, a'm castio i chwarae yn y dramâu. Canlyniad hyn oedd, pan benderfynodd y BBC ddarlledu drama Cynan, *Hywel Harris*, ar gyfer dathliad y Methodistiaid Calfinaidd, gyda Nan Davies yn cynhyrchu, cefais y brif ran, dipyn o gamp, a chredwn yn siŵr fy mod wedi landio ar briffordd enwogrwydd. O leiaf, yr oeddwn yn argyhoeddedig y cawn ddigon o dâl i dalu fy ffordd drwy'r coleg am flwyddyn, rhannau eraill yn fy nisgwyl, yr haul wedi codi ar fy mywyd, cymylau wedi ffoi! Druan ohonof, daeth fy nghytundeb ymhen wythnos, £2.12.6, *inclusive of all expenses*! Ond pe bawn wedi cael mil o bunnau, nid oedd siawns yn y byd gennyf i barhau fy ngyrfa, oherwydd yr oedd llythyr arall yn y post, *urgent*, yn fy ngorchymyn i restru ar fy union. Sefais yn y ciw unwaith eto, ciw hir yng nghanol dinas Caer, Saeson ifanc brwdfrydig yn awchio i ymladd dros eu gwlad, a minnau ar fin ymrestru y tro hwn — wfft i'r Bedyddwyr cul a rhagfarnllyd! — fel cenedlaetholwr Cymreig gan syfrdanu'r clerc diamynedd trwy siarad dim ond Cymraeg! 'Look, mate!' meddai hwnnw, 'There's a hell of a queue behind you, all waitin' to register, so bugger off an' get yourself an interpreter!' Dechreuais gerdded ymaith. Gwaeddodd ar fy ôl, 'An' don't think you can dodge by talkin' that gibberish Welsh, we'll soon bloody find you!'

Er nad oedd unrhyw fath o bwrpas i'r peth, mwy nag i roi'r argraff i'm rhieni fod popeth yn iawn, mentrais unwaith eto am Fangor, mynychu darlithoedd fel pe na bai dim yn bod, gweld Williams-Parry yn dod i mewn i'r ystafell a'i glogyn ar ei ysgwydd, mynd at y ffenest, edrych allan, ac yn dechrau darlithio — '*Pe*! Gair mawr ydi *pe*! *Pe* cawn i'm rhan — *pe*! What is this life *if* — *if*! *Pe*!' A minnau'n meddwl wrth wrando ar ei lais llesmeiriol, mor braf a fyddai arnaf *pe* — *pe* — *pe* medrwn innau dreulio'r blynyddoedd nesaf yn gwrando fel hyn ar Fardd yr Haf, ond fel y dywedasai, gair mawr ydi *pe*!

A chefais brawf o hynny pan gyrhaeddais fy llety, Mrs Ashton yn aros amdanaf, golwg ddifrifol arni hi a Wil, 'Ma telegram wedi dod i chi!' Neges yn gofyn i mi frysio adref!

Pan glywais y bu'r plismon wrth y drws, aeth y sefyllfa'n anobeithiol yn fy ngolwg mewn eiliad, dychwelodd yr hen deimlad a'm hawntiai yn Abertawe, fy hela fel anifail, a dim modd dianc. Ni bu plismon wrth ein drws ni erioed, golygfa o'r fath oedd y sarhad eithaf, a'r nesaf peth at farwolaeth oedd 'mynd i drwbwl' o'r fath. Heb godi llais na bys bach o blaid nac yn erbyn neb na dim, fel y clywais ddywedyd fwy nag unwaith, yr hyn a fawr ofnais a ddaeth arnaf.

Mentro unwaith eto i Fangor — cwrdd ag Elfed (Davies), cyfaill mynwesol, un o fechgyn Powell Griffiths y Rhos, ac yntau'n holi'n fanwl beth a ddigwyddasai gan fy hysbysu fod pawb yn holi i ble yr oeddwn wedi dianc. Stwbwrn fel arfer, ni ddatgelais wrth Elfed hyd yn oed yr awgrym leiaf am fy helynt, dim ond ei sicrhau y cawn ei weld yn y dosbarth y bore wedyn. Yn ôl yn fy llety, yr un holi manwl, beth a ddigwyddasai, heb ddatgelu fawr ddim eto, dim ond rhyw chwerthin yn ysgafn wrth glywed fod pawb yn chwilfrydig i ba le yr oeddwn wedi cilio. Oddi mewn, yr oeddwn ymhell iawn o gymryd fy sefyllfa'n ysgafn, fy chwerwder at yr awdurdodau a'm gosododd yn y fath bicil yn fy surio hyd at fy nghorn gwddw, a'm hysbryd fel aderyn clwyfus yn curo'i adenydd yn ofer yn erbyn y gwyntoedd ond yn ildio'n araf i'r dynged.

Anfonais air at fy rhieni i geisio'u hargyhoeddi fod fy ngofidiau drosodd. Gwnes becyn hylaw o'm meddiannau, digon hylaw i'w gario gyda mi, telais Mrs Ashton am fy llety, twyllo Wil a hithau fy mod yn mynd gartref am wythnos, cyn wynebu'r ffordd fawr a bwrw am — ble wyddwn i? Llwyddais i gael lifft cyn belled â Chonwy, cerdded o gwmpas y dref, teimlo'n rhydd un eiliad, teimlo ar goll yr eiliad nesaf, a chrwydro a chrwydro a chrwydro nes gweld yr haul yn machlud fel hwyliau coch rhyw hen longddrylliad yn suddo i'r môr. Nid oeddwn wedi cysgu yn yr awyr agored oddi ar y dyddiau pell yn ôl yn grwt ar Foel Cadwgan, ond — nid chwarae oedd hyn!

Pan dorrodd y wawr, yr oeddwn ar ddi-hun i weld ei rhyfeddod yn cerdded dros y dref, brecwesta'n bur ddigysur ar y brechdanau a baratoais, gan amau'n fawr a oedd gennyf y deheurwydd gofynnol heb sôn am y dewrder i fyw fel tramp o dan y sêr. Cawswn anrheg ar fy mhen-blwydd, *Collected Poems*, W. H. Davies, ac yr oedd y gyfrol honno gennyf yn awr —

> How kind is sleep, how merciful
>   That I last night have seen
> The happy birds with bosoms pressed
>   Against the leaves so green.
>
> Sweet sleep, that made my mind forget
>   My love had gone away;
> And nervermore I'd touch her soft
>   Warm body, night or day.

Bu'r gyfrol honno bron fel testament am yr wythnosau nesaf, crwydryn yn byw ar brofiadau a gweledigaeth crwydryn arall, ac er na fedrwn gydnabod W. H. Davies fel y bardd mwyaf a fu erioed, bu gennyf feddwl y byd ohono o'r dyddiau tymhestlog hynny, a bu ei ganiadau melys yn solas ar gof a chadw gydol y daith wedyn. Oherwydd, er na ddisgwyliwn y fath olwg ar fyd pan gefais afael ar ei gyfrol gyntaf mwy nag y breuddwydiodd y person a'i rhoes imi am yr hyn a oedd ar fin digwydd, ond darganfûm ar fy mhen fy hun aml i noson serennog wirionedd yr hyn y bu'r crwydryn telynegol o Gasnewydd fyw drwyddo a llwyddais innau i daro ambell dant a'i cynhaliodd yntau.

Cerdded cyn belled â Llandudno, cael pas, a tharo ar ddau gyfaill ar ffo o'r fyddin, nid cachgwn o bell ffordd, ond dau wedi eu sobreiddio gan oferedd a gwastraff a ffieidd-dra rhyfel, mochyndra'r militarwyr a oedd yn gyfrifol am eu disgyblaeth, a chywilydd arnynt am lwfrdra ac anonestrwydd gynifer o Gristnogion a wadai'r Ffydd er mwyn cyfaddawdu â gofynion y Llywodraeth.

'Mor anferth a hyll yw'r myth Brydeinig!' meddai Les, bachgen gwallt golau, dwy ar hugain oed, ar ganol ei radd yn y Celfyddydau, 'Nid yw'n bosibl llyncu'r peth ond mewn anwybodaeth yn union fel truan sy'n dibynnu ar gyffuriau. Mwya'n y byd y mae'r myth Brydeinig yn mynd yn bwysig yn eu golwg, mwya'n y byd y mae'n gas ganddynt ffeithiau'r gwirionedd. Mae credu'n ddall fel ma'n nhw'n gneud yn golygu *gwrthod* gwybod.'

'Gwybod neu wrthod gwybod,' meddai Tom, dipyn o gawr, chwaraewr rygbi, pump ar hugain oed, newydd orffen gradd mewn athroniaeth, 'Yn y pen draw yr ydym i gyd yn yr un twll. Mae'n dibynnu ar ba lefel yr ydach chi'n byw — a does neb yn medru byw ar yr un lefel o hyd! Ar hyn o bryd, falle bod y tri ohonom ni wedi landio ar yr ochr drist i bethau, ond hwyr neu hwyrach fe landiwn ar yr ochr ddigri, neu fe ddown i gyfnod pan fyddwn yn mynd lan a lawr fel pluen yn y gwynt. Mae un peth da am fod ar grwydr fel hyn: mae'n golygu ein bod wedi penderfynu ar ba ochr yr ydym am fod, mwy nag y gall cannoedd o bobl ddweud heddiw.'

Buom gyda'n gilydd am dridiau, rhannu popeth, a'r sgwrs weithiau'n ddireidus, weithiau'n ddwfn, bob amser yn ddifyr, fel pe bai'r tri ohonom wedi bod yn chwilio am ein gilydd am oes ac nad oedd gwahanu mwy i fod. Cysgem yn yr awyr agored, yr hin yn berffaith, a'r ddau gyfaill wedi cael digon o brofiad bellach i wybod sut i lochesu ac yn fy nysgu'n amyneddgar fel pe bawn am dreulio f'oes yn y dull hwn. A ninnau'n lolian mewn encil un min hwyr, am wn i nad oedd un ohonom wedi darllen cerdd, dim ond distawrwydd y sêr yn ein hamgylchynu, dyma sŵn traed yn carlamu fel tarw amdanom. Erbyn i mi edrych o gwmpas, yr oedd Les a Tom wedi diflannu, ni welais ddim tebyg na chynt na chwedyn, yn union fel pe bae consuriwr wedi dod heibio â'i hudlath, ac yr oedd y ddau wedi mynd o'r golwg. Ni welais gip o'r naill na'r llall fyth wedyn.

'Ar dy draed, y cythral!' Cydiodd y plismon ynof a'm tynnu ar fy sefyll, fy ysgwyd fel cadw-mi-gei, cyn rhoi peltan ar draws fy wyneb. 'Deserter, wyt ti?'

'Nac 'dw i,' taerais.

'Paid â malu!' atebodd, ei ddwrn mawr yn cau am goler fy nghrys, ' 'Dw i wedi bod yn jaso'r ddau arall ers dyddia — wyddwn i ddim bod 'na dri ohonoch chi — ond *mi* ddaliai'r diawlied!'

' 'Dw i ddim yn deserter! Wir!' Yr oeddwn yn benderfynol o argyhoeddi'r lymbar mileinig, oherwydd oni wnawn hynny — wel, Duw a ŵyr beth a ddigwyddai!

'Beth wyt ti ta?'

'Stiwdant!'

'Stiwdant beth?'

'Pregethwr.'

'Baptus?'

'Ia.'

'Ia, wir?'

'Ia.'

'Hoswch, hoswch! Mi godaf fy llaw i gael lifft i chi!'

Fe gododd ei law ac mewn llai na phum munud, 'roedd car mawr a gŵr bonheddig wrth yr olwyn ond yn rhy barod i blesio'r heddwas, ac yr oeddwn innau ar fy ffordd unwaith eto . . .

Ar Ffo

Ar fy mhen fy hun, cyrhaeddais Fae Colwyn erbyn yr hwyr, ac er bod rhagor nag un teulu a adwaenwn yn ymyl, ni theimlwn fod dewis gennyf ond paratoi i gysgu allan unwaith eto. Yr oeddwn wedi elwa wrth daro ar y ddau ffoadur ifanc a chennyf grap ar yr hyn oedd o fantais wrth gerdded fel hyn a chysgu allan. Un peth a ddysgais ganddynt a chan y plismon hwnnw oedd bod gweld gŵr ifanc mewn dillad suful ac awgrym o'r tramp yn ei gylch yn ennyn chwilfrydedd mewn rhai pobl, yn enwedig y rhai gorwlatgarol a Phrydeinig eu sêl. Dysgais i fod yn gall bob amser ac i raddau'n gyfrwys. Faint bynnag o bobl oedd yn f'amau i, yr oeddwn innau'n amau pawb. Fe all fy mod yn y sefyllfa yr oeddwn ynddi wedi dysgu rhai pethau nad oedd yn gredyd i mi, ac wedi methu dysgu rhai pethau a fyddai'n fudd o'r mwyaf. Gwingwn yn fynych fel un wedi cael cam, yr oedd fy hunandosturi yn llifeiriol, a'r chwerwder a deimlais yn Abertawe gynt yn llywodraethu fy mywyd i'm hewinedd erbyn hyn.

Chwerwder! Un o briodoleddau'r dieifl! Bûm yn sgrifennu cerddi a sonedau, ond yr oedd y chwerwder hwn yn mynnu gwthio'i hun i air ac ansoddair a llinell, nid fi oedd yn llefaru ond yr ysbrydion aflan oddi mewn, ac nid oedd gennyf ddim i'w wneud ond distrywio'r cyfan. Yr oedd defnyddio cerdd i fynegi'r fath chwerwder yn buteindra. Ni fedrwn fod yn euog o hynny. Cofiais am dŷ yn ymyl Pwll y Pentre yng Nghwm Rhondda, cartref hen wreigan wedi ffwndro, a mwg y simdde fawr yn pardduo'r ffenestri nos a dydd fel na fedrai'r hen chwaer weld dim na neb yn glir. Ac yr oeddwn innau *fel'na* ar ôl busnes y pwyllgor ymgynghorol, ffenestri bywyd wedi eu staenio i gyd, methu â gweld neb na dim yn glir mwyach.

Deallwn o'r gorau fod y chwerwder ynof fel cancr sy'n bwyta oddi mewn i ddyn; fe deimlwn y dannedd du yn cnoi a chnoi, ond ni fedrwn dros fy nghrogi arafu na tharfu'r llygredd. Gwyddwn o'r gorau y gellid fy nghyfiawnhau falle am deimlo'n ddig dan yr amgylchiadau, i raddau o leiaf, a bod dig cyfiawn — fel y clywais ddywedyd unwaith — yn dân santaidd sy'n llosgi'r sorod allan o fodolaeth ac yn puro. Ysywaeth, hawdd iawn oedd siarad, a haws fyth oedd ymresymu fel hyn am oriau ar fy mhen fy hun, ond pan ddown i roi hyn oll mewn ymarferiad . . . anobeithiol! Dyfarnodd fy enwad na ellid fy nghydnabod yn bregethwr rheolaidd. Yr oeddwn innau yn awr fel pe'n cadarnhau hynny. Pa hawl oedd gennyf i bregethu wrth yr un enaid byw?

Dod at lecyn tawel, nid oedd na thŷ na thwlc yn ymyl, dim ond olion lle y bu gwŷr y ffordd fawr yn cloddio a gadael hen bibelli mawr hwnt ac yma. Purion, meddyliais, dest y peth, gystal â gwely, mi gysgaf tu mewn i un o'r rhain fel baban yng nghôl ei fam. Yr oedd yr awel yn dyner, gwelwn oleuadau'r arfordir yn y pellter, clywn ambell i fodur yn chwyrnu draw, a daeth rhyw ymdeimlad o unigrwydd mawr drosof heb iddo fod yn frawychus na bygythiol, mwy fel yr ias a ddaw wrth deimlo mor rhydd â'r aderyn nwyfus a fedd ddarn o'r nefoedd iddo ef ei hun. Ac yn yr ystad hapus hon yr ildiais i gwsg y noson honno.

Wn i ddim am ba hyd y bûm yn cysgu, nid oedd oriau ynghwsg nac yn effro yn cyfrif mwyach, ond fe'm deffrowyd i gan rhyw grwnan annaearol yn y nen uwch fy mhen. Newydd ddeffro ac yn ceisio casglu fy synhwyrau at ei gilydd, ni fedrwn ar y funud ddyfalu beth oedd yn terfysgu'r gymdogaeth. Yr oeddwn yn hen gyfarwydd â sŵn awyren, Prydain a'r Almaen, ond yr oedd y griddfan annaearol hwn yn wahanol. A fedrwn fentro rhoi fy mhen allan o'r twnnel esmwyth lle gorweddwn? Gallaf gofio datod botymau coler fy nghrys a strejo fy nghoesau i geisio deffro'n llwyrach. Teimlo fy mol fel pe'n troi drosodd, oherwydd nid oedd yr hen anesmwythyd a barai i'm calon guro fel drwm yn Abertawe wedi fy llwyr adael, ond gwyddwn bellach sut i ymlacio a dyna'n union a wneuthum. Gwrandewais. Tybed a fedrwn fentro gwthio fy mhen allan?

Fel y rhan fwyaf o bobl bellach yr oeddwn wedi hen gynefino â swnau'r nos, a medrwn eu darllen fel lleisiau'n siarad. Yr hyn a ddwedai'r corddi a'r gwichian uwch fy mhen oedd bod rhyw druan o awyrennwr, gan nad i ba wlad bynnag y perthynai, mewn trafferth yn nhywyllwch yr eangderau. Almaenwr?

Ni phetrusais mwyach, ond allan â fi i'r nos, gan edrych i fyny i'r gwacter leuad-olau lle y gwelwn ffurf fel ystlum ar dân yn chwilio am dir neu drawst neu ddihangfa yn rhywle. Bron na fentrais godi fy llaw ar y creadur i dynnu ei sylw at y gwastadedd oddi tano. Syniad ynfyd? Siŵr o fod, ond yr oeddwn yn ymwybodol ymhob synnwyr a gewyn o argyfwng y truan, pwy bynnag ydoedd. Yna, fel seren wib neu gomed neu aderyn briw, fe'i gwelais yn mynd dros y gorwel, saeth o dân i eigion y nos. Y diwedd, meddyliais.

Ar doriad gwawr, dylifai'r golau gwyn trwy ddeupen y bibell hir lle y cysgaswn, deuai sŵn adar yn mwstro ar gyfer dydd arall, sŵn nant fechan newydd dorri allan i ganu, awelon yn cosi'r dail yn y coed gerllaw; ac yna, un sŵn nad oedd yn perthyn i aderyn na nant nac awel, y math o sŵn y dysgaswn i'w ddirnad trwy ofn, rhwyg ar ôl rhwyg yn y gwiail neu bladur neu filwg yn y gwair, y math o sŵn a wnâi i holl glustiau'r goedwig sefyll, sŵn islaw sŵn, sŵn mentro, sŵn ymatal, sŵn dianc; a phan wthiais fy mhen i'r bore, fe'i gwelwn o'i ben i'w ysgwydd yn y prysgwydd yn ymlwybro'n llechwraidd fel llwynog . . . ei wyneb ifanc estron . . . ei lifrai aflêr . . . ei lygaid ofnus . . . ei ddwylo gofalus . . . ei symudiadau cyfrwys!

Dyma'r creadur a oedd mewn trafferth yn yr entrychion, dim amheuaeth, wedi llwyddo i ddianc o'i awyren a'i barasiwt wedi'i landio yn yr encilfa goediog hon, chwilio am lwybr yn y dryswch, ofni cymryd cam, mentro ar dro, arafu wedyn, disgwyl gelyn, a'i gael ei hun — pe bai'r truan ond yn gwybod! — o fewn ergyd carreg i *mi* o ddynion y ddaear!

A ddylwn dynnu'i sylw? Fe all y gallwn ei helpu. Mae'n *siŵr* y gallwn ei helpu. Onid oedd gennyf innau syniad erbyn hyn beth oedd bod ar ffo? Ar ffo yng Nghymru, fy ngwlad fy hun, yr arswyd yn ddigon i wallgofi rhywun, ond — pa fath arswyd a feddiannai'r llencyn hwn ar ffo mewn gwlad ddieithr? Cip ar ei wyneb glân, dewr, deallus, a rhyw awydd eto ynof i dynnu'i sylw a chynnig cyfarwyddyd a help. Yna, cofio fel y bu bron imi fynd i drafferth am fod yng nghwmni Les a Tom, ffoaduriaid o'r lluoedd arfog, cofio wyneb bygythiol y plismon hwnnw, a phenderfynu mai gwell oedd peidio. 'Rwyt ti'n ddigon sâff ar hyn o bryd, Williams! Paid â gwahodd trwbwl! Beth fyddai'r canlyniadau pe digwyddai'r gleision dy ddal yng nghwmni Jyrman? A thra oeddwn i'n troi'r pryderon a'r dyfaliadau hyn drosodd yn fy meddwl, gwelwn yr awyrennwr ifanc yn mynd allan o'r golwg ym mhellter trwchus y mangoed draw. Ymsythais. Cerddais draw i'r nant. Ymolchais. Eistedd am ryw lun o frecwast. Un edrychiad arall ar y ffordd yr aeth y gelyn. Wynebu'r ffordd arall a dechrau cerdded . . .

Misoedd wedyn, fy nghrwydriadau ar ben, daeth hanes i'm clustiau am awyren yn dod i lawr yn yr union gymdogaeth lle yr oeddwn i'n cysgu allan y noson honno. Almaenwr ifanc. Bu'n chwilio'n hir am loches ar y mynyddoedd. O'r diwedd, a'r dydd yn hwyrhau, gwelodd awgrym o olau a bwthyn unig. Mentrodd at y ffenest. Curodd. Daeth wyneb hen wraig i'r golwg. Gwenodd. Agorodd hithau'r drws. Hen wraig yn byw ar ei phen ei hun. Sylwodd yr awyrennwr wrth iddi symud o gwmpas ei chegin nad oedd coesau ganddi. Deallodd y naill a'r llall ei gilydd heb eiriau. Diniweidrwydd y wraig yn cael carreg ateb yn niolchgarwch y llanc. Dewrder tawel un yn dileu amheuon tywyll y llall. Gelyn yn mynd yn gyfaill dim ond â gwên.

Ai hwn oedd y truan a welais innau ai peidio.Cywilyddiais wrth feddwl am fy ymateb i o'i gymharu ag ymateb yr hen wraig anabl ac unig hon.

Profiad o Fywyd?

Nid oedd yr wythnosau ar grwydr neu ar ffo yn rhai i'w chwennych, ac er cwrdd ag ambell gyfaill 'hoff cytûn', derbyn aml gymwynas o fara a chaws i ginio go iawn, ennill ceiniog trwy olchi'r gwydrau mewn tafarn a chael lle i roi pen i lawr am dorri coed, yr oedd newyn neu anesmwythyd fel hyrddwynt o'm hôl yn fy ngyrru tuag adref yn gyflymach nag y medrai pâr o draed fy ngharío. Cael cwmwl gofid yn anferth uwchben yr aelwyd wrth ddisgwyl newydd am fy mrawd — neges o'r Dwyrain pell yn dweud ei fod yn ddihangol, dim ond i gael achos pryder arall unwaith eto! Pob papur yn orlawn o drychineb a thrasiedi. Newyddion yn cyrraedd am farwolaeth rhai o fechgyn y gymdogaeth — dyfalu'n fwy fyth am fy mrawd! Awyren uwchben yn chwyrnu cyn gollwng bomiau. Pa mor agos, pa mor bell yr ergyd tybed? Cerdded y stryd, sgwrsio â chymydog, cyn gorfod gorwedd yn sydyn ar y palmant i osgoi tameidiau'r bom. Clywed y seiren yn sgrechian fod yr awyr yn glir. Ymlaen â bywyd fel pe na bai dim yn bod!

'Where've yer bin keepin'?' Gŵr bonheddig yn dod ar fy nhraws, croesi'r ffordd i gael gair, chwilfrydedd yn ei lais a'i lygaid.

Ni fedrwn yn fy myw gofio'i enw — a chaniatáu fy mod erioed wedi gwybod ei enw! 'Away.' Ateb byr ac i'r pwynt, a hynny mewn ffordd nad oedd yn gwahodd cwestiynau, ond — nid oedd Mr Beth-bynnag-oedd-ei-enw yn fodlon ar hynny.

'Are yer in the college, did I 'ear?'

'Yes, college.'

'Goin' in to be a parson, did I 'ear?'

'That's right.' Y gair 'parson' yn fwrn byth oddi ar hynny!

'Church?'

'Baptist.'

'Roedd ei lais a'i lygaid yn dal i gyfleu'r chwilfrydedd. 'I'm a Quaker.' Ei wên yn rhoi rhyw olwg newydd arno. 'How much d'yer know about the Fellowship?'

'A bit,' atebais, heb fod yn rhy hy ar y mater.

Rhoddodd y gŵr bonheddig law ar f'ysgwydd yn dadol. 'Are yer a pacifist?'

'Yes.'

'I guessed.'

Fe'm hebryngodd i adeilad ar ganol y stryd honno, un yr oeddwn yn hen gyfarwydd â'i weld ond heb gymryd fawr o sylw ohono, lawnt a choed a hysbysebion, cyn sylwi ar y geiriau aur uwch y drws, FRIENDS MEETING HOUSE. Yma, sylweddolais am y tro cyntaf (er fy mod yn ymwybodol o hynny o'r cychwyn) mai yn yr adeilad hwn y cyfarfyddai'r Crynwyr. Nid oeddwn yn anwybodus yn eu cylch, fy hen athro yng Nghwm Rhondda, Jonathan Lloyd, yn un o'r selocaf ohonynt, ac nid oedd ei areithiau byr bob bore cyn cychwyn yr ysgol wedi disgyn ar dir diffaith fel petái, ond wrth edrych yn ôl yn awr fe all mai yn y dyddiau cynnar hyn heb fod yn gwbl ymwybodol o hynny y plannwyd yr hedyn a oedd yn argyhoeddiad llywodraethol erbyn hyn.

Eisteddais. Yr oedd y distawrwydd fel môr mawr tawel yn gyrru ei donnau ireiddiol i lepian amdanaf. Yr oedd y tangnefedd a synhwyrwn yn y llygaid a'r wynebau o'm cwmpas. Yng nghanol dwndwr ein byd sarrug, heb fod mewn unrhyw ffordd yn encil ar wahân lle y gellid osgoi realaeth, yr oedd yr ystafell hon fel darn o graig safadwy yn y storm. Heb i neb ddweud gair, sut bynnag yr oeddwn i esbonio hynny, yr oedd yn union fel pe bai awelon yn chwythu drwy'r lle i adnewyddu'r galon. Sawl tro yr eisteddais mewn seiat, heb i mi yn awr amharchu'r eneidiau nobl a oedd yno, a gwrando un yn dweud ei brofiad yn ddigon doniol a'r llall yn cydio mewn adnod i'w hesbonio'n ddoniolach fyth. 'Roedd seiat y Crynwyr hyn yn *wahanol*, ac i mi ar y pryd yn *well*, ac yr *oedd* rhyw olau mewnol yn llewyrchu'n siriol a gwaredigol ar fy mywyd, nid oedd un amheuaeth.

Er na fentrwn mor bell â chefnu ar enwad i ymuno â'r

Crynwyr, gadawodd y profiad hwn ei ôl arnaf, ac am weddill fy nhaith hyd yr awrhon ni fûm heb rhyw ymdeimlad llawen oddi mewn fy mod yn *perthyn* i'r bobl hyn. Ac nid mater o gredu yr un fath â nhw ac edmygu eu ffordd o addoli yn unig ydoedd, ond — wel, bu un canlyniad ymarferol a oedd i adael ei ôl yn ddyfnach na dim ar fy mywyd.

'How long yer 'ome for?' holodd y gŵr bonheddig ar ôl y cyfarfod.

'I'm not sure,' atebais.

'Yer just the sort we're lookin' for.'

'What for?'

'My team! Will yer join?'

'Of course!' atebais, heb feddwl eiliad beth a olygai hynny.

Hen ystafell enfawr, baracs o le drafftiog, heb fod mewn iws ers blynyddoedd, oedd y man cyfarfod. Rhyw chwech neu saith ohonom yn y tîm, y gŵr bonheddig hwn wrth y llyw, hen law i bob golwg, awdurdod ar ambiwlans a bandej a sblint, y Crynwr ynddo wedi mynd i'r encilion dros dro a'r dyn ambiwlans wedi meddiannu'r creadur o'i synnwyr i'w ewinedd, a'i dangnefedd wedi ildio i ryw brysurdeb brwdfrydig o leiaf, os nad ffwdan, fel pe bai cwrs y rhyfel a thynged pob enaid byw ohonom yn dibynnu arno ef. Gwisgai dei-bô go flodeuog, ei wallt yn hongian tu ôl i'w ben — nid oedd ganddo wallt ar flaen ei dalcen — yn rhaeadr Badarewcsaidd. Llwyddodd i gael ystafell fechan o'r neilltu yn yr hangar hunllefus lle y cynhelid ein hymarferiadau, swyddfa fechan ar gyfer ei bapurau a'i rejistars, hen deipiadur swnllyd, a hen weiarles lle yr oedd mewn cysylltiad â'r byd crwn a'r Swyddfa Ryfel a'r Llywodraeth i gael pob gwybodaeth am y Jyrmans cyn i neb arall gael gafael ar ddim — 'I've just picked it up — they're over Southampton now!' Aeth y rhybuddion gwallgof hyn mor niferus ac mor aml nes yr oedd yn amhosibl ymateb ond trwy chwerthin — peth nad oedd wrth fodd calon y gŵr bach dewr!

Aeth wythnosau heibio. Daeth aelodau'r tîm i 'nabod ei gilydd. Daeth aelodau'r tîm i 'nabod y Crynwr bach diwyd oedd yn bennaeth arnom. Un noson, dim cynnwrf yn yr awyr, dim Jyrmans ar y ffordd o Southampton nac unman arall, saib o

"I could do with a cuppa."

ddistawrwydd amheuthun, daeth nodau hen biano o'r swyddfa fechan, 'Largo' Handel, y nodau pereiddiaf, a deall ohonom fel canlyniad fod ein hyfforddwr bywiog yn Mus. Bac. ac L.R.A.M., heb i'r graddau olygu dim mwy i'r un ohonom ond ei fod yn giamstar ar chwarae'r piano.

Toc ar ôl hyn, noswaith dawel eto, nodau rhyw ddarn o gerddoriaeth glasurol yn tincial yn ein clustiau, rhwygwyd yr awyr gan y seiren a'r pennaeth yn llamu allan o'i swyddfa — 'Liverpool! Let's go!' Bron na fu i rai ohonom chwerthin ar ei ben, un o arswydon bach diniwed y Crynwr selog yn ein cyffroi unwaith eto, ond y tro hwn — un golwg ar ei wyneb yn profi hynny — yr oedd pethau o ddifrif. Newidiodd gwedd gŵr y deibô. Crynai ei wefusau a'i ddwylo. 'It's all hell let loose!'

Pa fodd yr aeth pob un ohonom i gefn y cerbyd, ni lwyddaf i wybod byth, ein pacio yn bentwr o freichiau a phengliniau, neb yn ochain na phrin anadlu wrth i'r fen wegian a rholio a rhuo i gyfeiriad y tân a'r bomiau a'r ddinas chwâl ar y gorwel. Edrych ar yr wynebau fel dwy res o gnau coco o'm blaen.

Sŵn bom yn syrthio i'r ddaear fel pladur yn rhwygo'r awyr. Y ffurfafen draw yn awr fel rhyw samwn anferth yn gwaedu i farwolaeth. Ffrwydriadau, un, dau, tri, blodau trofannol melyn a glas a choch, petalau o fwg yn estyn i'r awyr, a'n llygaid ninnau'n gwibio o'r naill i'r llall, fel rhai yn gweld ond yn rhy glir yr anweledig. Rhywun wedi'i chael hi. Pwy? Ni wyddom ac ni fedrwn wybod. Gallwn deimlo'r argyfwng, brath y ffrwydriad, cnawd i'r asgwrn, yr aelodau briw a'r cig noeth, yr oerni angheuol a'r tân dinistriol, rhywle . . . rhywle . . . a'r rhywle hwnnw'n dod yn nes ac yn nes o hyd.

'I could do with a cuppa.'

'You'll be lucky.'

'Jerry's playin' 'ell, some poor sods coppin' it, an' all yer can think of is a cuppa!'

'He's what yer call a comedian, tha's what.'

'All this shakin' an' bangin', me guts canna take it.'

Cip drwy'r ffenest fach. Saeth arall drwy'r awyr. Ffrwydriadau, un, dau, tri, eto. Wynebau. Helmau. Sŵn bom yn chwislo i'r ddaear, cryndod, dyn a daear.

'Hope to God this bloody riot won't last much longer.'

'When Jerry gets goin' . . .'

'I gotta date . . .'

'We all got a date, I fancies.'

Sut mae rhywun yn byhafio wrth wynebu . . . Sut *dylai* rhywun fyhafio wrth wynebu . . .? Ambell awr dawel, meddwl am yr hyn a *allai* ddigwydd, bûm innau'n pendroni'n ddigon sobr ar dynged a diwedd dyn a'i fyd. Yn awr, ar ôl ofni'r Ofn gyhyd, wynebu'r drychineb draw, nid oedd ond tynnu coes, tynnu mwg, chwerthiniad, rheg, nid yn herfeiddiol ond yn ddihidans bron, ac yr oeddwn innau'n un o'r criw . . .

Mae'r fflamau'n goleuo'r wynebau. Daw arogl y brwmstan a'r tân i'r ffroenau. Lleisiau. Crioedd. Traed. 'This is it!' meddai'r Crynwr caredig, ei wyneb yn meddu hyder ac awdurdod newydd, gŵr wedi cyrraedd pinacl, un ar fin ei gyflawni'i hun.

Sefyll ar y palmant yng nghanol y ddinas, ein capten wedi mynd o'r neilltu i riportio a chael cyfarwyddyd, dim jôc na rheg

"Daw arogl y brwmstan a'r tân o'r ffroenau . . ."

na chwerthiniad ar ôl ar wefus yr un ohonom, dim emosiwn na symudiad o fath yn y byd am a wn i, dim ond rhyw gryndod fel trydan ymhob nerf a chyhyr a gewyn, a'r olygfa o flaen ein llygaid fel hunllef wedi neidio allan o'n cwsg i ganol ein bywyd effro a ffwndrus.

'Off we go, lads!' Bwndelu'n hunain unwaith eto i'r fen, gyrru fel cath i gythraul, neb yn gwybod na hidio i ble, gwrando ar y nos yn hollti o'n cwmpas, dim pryder, dim panig, dim byd. 'I don't think there's much chance of casualties in this lot!' meddai'r gŵr wrth y llyw, 'There's nobody goin' to get out of this only corpses!'

'What the 'ell we doin' 'ere then?' — Benson, creadur ffraeth a hoffus!

'What d'yer mean?' Nid oedd y Crynwr yn barod i dderbyn awgrym bod ei gyfraniad ef a'i griw mor aneffeithiol yn y fath gyflafan.

'Yer juss said it!' chwarddodd Benson, 'It ain't an ambulance yer needs 'ere but an undertaker.' Ac wrth iddo lefaru, yr ysgafnder yn difa ar ei wefus.

Allan o'r fen, cyn bod modd i neb gydio mewn strejar na dim, ffrwydriad bron o dan ein trwynau a yrrodd rhai ar ffo ac eraill ar eu hyd hwnt ac yma, briwsion y bom yn disgyn fel cesair o'n cwmpas, a wyneb rhywun yn fy ymyl pwy bynnag ydoedd fel ffenest goch o waed. 'Get 'im in!' clywais y Crynwr yn dweud, tri neu bedwar yn llusgo corff ar y strejar, a chyn i mi fedru estyn llaw heb sôn am sefyll, y fen yn rhuo ymaith.

Y funud nesaf, neb o'r tîm yn y golwg, a daeth yr ymdeimlad i'm dryllio fy mod ar fy mhen fy hun yn y chwalfa. Ffrwydriad. Ffrwydriad arall. Daeth y sylweddoliad, yn union fel y mae'r tân yn llunio'r clai yn y ffwrneisiau, fy mod innau'n cael fy moldio o'r newydd ac nid oedd yn debyg y byddwn yr un fath fyth eto. Nid oedd muriau lle yr oedd muriau hanner awr yn ôl, dim ond muriau newydd o dân, cestyll o dân ar bob tu; ac fel yr oedd y gri yn fy ymyl a'r grwnan uwch fy mhen yn angerddoli, holais am ennyd dros ac er mwyn pwy neu beth yr oedd y diawl bach peryglus yn ei awyren yn ymladd, a thros ac er mwyn beth yr oedd y trueiniaid o'm deutu yn marw. Nid ofn oedd y gwayw yn y bol fel carlwm yn tyllu'r coluddion, ond rhyw alar yn meddiannu'r gwaed mor llwyr ag alcohol heb un siawns fy ngollwng yn rhydd o'i ddylanwad byth byth mwy.

Lloer. Mor bert ag esgid arian yn y nen. Cofio awdl gain J.J. a'r darnau a ddysgwyd imi gynt gan F'ewyrth Siôn o flaen tân mawr y parlwr ar Foel Cadwgan —

> Tua'r fynwent oer-feini
> Yn olau wen, hwylia hi,
> A thry ei gwlith oer a glân
> Fin hwyr yn ddafnau arian;
> Hi wêl dawel flodeuyn
> Ar ei sedd yn oer a syn,
> A gwrid hoffai eilwaith greu
> Lle dringodd llwydrew angau;
> Rhydd odlau prudd dail y pren
> Alar awel o'r ywen . . .
> Nes hed y nos oedi wna
> Ar fedd gwyryf hawddgara . . .

Tai a fu'n dai neithiwr.

Ond na, nid heno, mae D'ewyrth Siôn a'i 'Loer' a Moel Cadwgan yn ddigon pell heno!

Tai a fu'n dai neithiwr. Goleuadau'n cribo'r awyr. Y lloer hyll, euog a ddengys y ddinas i'r gelyn yn cael ei dal a'i chondemnio gan y goleuadau. Cerddaf o gwmpas fel dyn ar goll. Yr *wyf* ar goll! Brics a chyrff yn bentyrrau — lloches a fomiwyd! Gwelaf droed mewn esgid. Pen — ble oedd y corff? Mae'r trydan yn y nerfau a'r cyhyrau a'r gewynnau yn canu'n fwy fyth. Cerddaf ymaith. Ni fedr neb sefyll yn ei unfan i syllu ar alanas fel hyn. Strydoedd a fu'n strydoedd neithiwr. Hanner ystafell wely dan belydrau'r goleuadau. Dol yn y gwter. Tri gŵr yn pwmpio dŵr am eu bywyd. Hanner-cylchoedd o olau yn golchi wyneb y nos. Dyrnu dyrnu dyrnu uwchben. Disgwyl bom. Dod at dwll mawr. Crateri. Y lloer rhwng y muriau chwâl. Ysbrydion! Ar fy mhen fy hun eto. Neb o gwmpas. Dinas wag. Ffurfafen orlawn. Ffynnon o ddŵr yn tarddu o'r ddaear. Siwer yfflon. Y drewdod fel lladd-dŷ yn yr haf. Gynau yn dal i gega.

"Gently mate!"

'Giss a 'and 'ere!' Llais. O'r mwg. Heb wyneb. Heb gorff. Dim ond breichiau. Brysio. O Dduw!

'Gently, mate!'

'Roedd hi'n ifanc. Hardd. 'Roedd hi'n . . .

'Put 'er on the lawn with the others, mate!'

Wn i ddim pwy ydoedd, ond — rhoddais help llaw. 'Which arms are which? Who's legs belong to who?'

Lawntiau. Un ar ôl y llall. Lle yr oedd tai neithiwr. Cyrff. Pentyrrau. Esgidiau. A'r wynebau wedi eu sgriwio gan yr Angau sydyn.

Wyneb. Cerfiad oer. Mud. Y gwallt fel rhaeadr wedi rhewi. Gwefusau — llawn ac aeddfed fel ffrwyth! Pe bawn i wedi 'nabod hon, ond — ni chaf mwyach. Beth oedd ei henw? Merch pwy? Cariad pwy? 'Gently, mate!' Codaf yr aelodau briw i'w gosod ar y lawnt. Mae'r breichiau a'r bronnau'n las. Rhytha'r llygaid fel delw. Cydiaf mewn dilledyn i guddio'r noethni a fu'n nwyfus neithiwr . . .

Cerddaf ymlaen. Heibio i'r aelodau a'r wynebau a'r noethni a wasgarwyd ar hyd y lawntiau. Y fynwent agored lle y bu cartrefi a theuluoedd ddoe. Ac wrth gerdded, heb wrando na hidio'r dwndwr na'r düwch na'r lloer fradwrus mwyach, meddyliaf: *'Gwae fi fy myw . . . .'* Hedd Wyn! Nid yw'r hil ddynol wedi callio dim. Dyna'r peth gorau falle a gafodd Cymru allan o'r Rhyfel Byd Cyntaf. Fe all na chafodd Cymru neb tebyg i Wilfred Owen. Condemniodd Yeats farddoniaeth Owen, *The Pity is in the poetry*, ond sut ar y ddaear y gellid cymharu Yeats ffroenuchel â'r milwr ifanc yng nghanol y mwd a'r dioddef a fynnodd ganu am y mwd a'r dioddef?

> Let the boy try along this bayonet-blade
> How cold steel is and keen with hunger of blood . . .

Ni fedrai Yeats a'i dylwyth teg fyth ganu fel 'na!

Nos ar ôl nos. Sŵn y peiriannau'n pwran yn yr awyr. Coedwig o gyfarch ac ubain a gwaedd. Goleuadau'n croesi fel llafnau mawr yn trywanu'r twllwch. Bysedd o olau'n llio cefn awyren ar ôl awyren. Mynd a dod uwchben fel milfil o bysgod bach ym mowlen anferth y nos. Mae'r llygaid llechwraidd wedi

"Piban dŵr y gwŷr tân fel seirff . . .

cymryd lle'r sêr. Brwmstan yn yr awyr fel ymollyngiad mil o siweri. Drewdod ar daen nes rhoi'r syniad mai rhyw gynrhon metel sydd uwchben yn bwyta'r ffurfafen wallgof.

Lorïau yn chwyrnu drwy'r llysnafedd. Pibau dŵr y gwŷr tân fel seirff yn gnotiau hwnt ac yma. Milltiroedd o fwd yn peri i ni deimlo nad oedd gwaelod i'r byd. Codi trawstiau a phibau a phobl fel trueiniaid ar foddi mewn môr mawr brown.

Nos ar ôl nos ar ôl nos . . .

Pan beidiodd y difrod a'r dwndwr, 'roedd y byd i gyd wedi newid a minnau wedi newid hefyd wrth fentro allan i'w brofi. Un o'r pethau cyntaf i'm cyrraedd ar ôl dychwelyd gartref oedd llythyr yn gofyn i mi ymddangos o flaen pwyllgor i roi fy achos ger bron am ystyriaeth. Bûm yn petruso'n hir a gydymffurfiwn. Ar ôl penderfynu cydsynio, sefais o flaen llond ystafell o wŷr cyfrifol i'm holi. Digon distaw oedd y mwyafrif, ac nid oes gennyf un achos i awgrymu eu bod yn anfrawdol nac angharedig. Gall mai fi oedd y mwyaf diserch y prynhawn hwnnw. Cefais nifer o gwestiynau ffafriol, ac nid oeddwn heb deimlo fod yr awel yn dechrau troi o'm plaid. Gwenodd un neu ddau, ac yr oedd mentro gwên yn dipyn o gam ymlaen yn fy meddwl. Yna, wrth ymresymu pam y dylwn ufuddhau i'r drefn a thorchi llewys i wneud y cwrs gofynnol, digwyddodd un o'r pwyllgorwyr (yn ddigon difeddwl, mae'n siŵr) ddweud, 'Mae gofyn i chi gael dipyn o brofiad o fywyd i fynd i'r weinidogaeth, cofiwch.' Gwelais y gŵr yn rhwbio pâr o ddwylo melfedaidd. Syllais ar ei wyneb dibryder.

Cerddais allan yn benderfynol o lywio fy llwybr fy hun o hynny ymlaen . . .